RUMO AOS 120 ANOS

Dr. Aldrin Marshall & Luciano Subirá

RUMO AOS 120 ANOS

COMO DESFRUTAR A REALIDADE
BÍBLICA E CIENTÍFICA DE UMA VIDA
LONGA E PLENA

© 2024 por Dr. Aldrin Marshall

1ª edição: janeiro de 2024

Revisão
Francine Torres
Ana Maria Mendes

Diagramação
Aldair Dutra de Assis

Capa
Rafael Brum

Editor
Aldo Menezes

Coordenador de produção
Mauro Terrengui

Impressão e acabamento
Imprensa da Fé

As opiniões, as interpretações e os conceitos emitidos nesta obra são de responsabilidade do autor e não refletem necessariamente o ponto de vista da Hagnos.

Todos os direitos desta edição reservados à
Editora Hagnos Ltda.
Rua Geraldo Flausino Gomes, 42, conj. 41
CEP 04575-060 — São Paulo, SP
Tel.: (11) 5990-3308

E-mail: hagnos@hagnos.com.br
Home page: www.hagnos.com.br

Editora associada à:

Dados Internacionais de Catalogação na Publicação (CIP)
Angélica Ilacqua CRB-8/7057

Marshall, Aldrin

Rumo aos 120 anos: como desfrutar a realidade bíblica e científica de uma vida longa e plena / Aldrin Marshall. - São Paulo : Hagnos, 2024.

ISBN 978-85-7742-479-5

1. Longevidade — Aspectos religiosos 2. Saúde 3. Hábitos de saúde 4. Vida cristã I. Título

23-6625   CDD 220.8613

Índices para catálogo sistemático:
1. Longevidade — Aspectos religiosos

Dedicatória

Dedico este livro aos meus amados pais, Athayde (*in memoriam*) e Maria Lúcia, que ousaram sonhar e me ofereceram a oportunidade de estudar e tornar-me médico, o cumprimento de uma palavra profética que eu havia liberado na minha infância.

Sumário

Agradecimentos 9
Endossos 11
Testemunho 17
Prefácio de Luciano Subirá 21
Introdução 25

   1. Saindo do piloto automático 31
   2. O seu corpo é o templo do Espírito Santo 43
   3. Mudanças são necessárias 57
   4. Ansiedade 67
   5. Envelhecimento (senescência x senilidade) 89
   6. Alimentação 93
   7. Modulação nutricional 107
   8. Água 121
   9. Sono 135
  10. Atividade física 149
  11. Detoxificação 159

Conclusão 179
Apêndice — O jejum: aspectos espirituais 181

Agradecimentos

Quero agradecer à Cristiana, minha amada esposa, que foi canal do Espírito Santo para iniciarmos o Metanoia Saúde, e este livro é prova dessa inspiração. Aos meus filhos, que me ensinam a cada dia como viver a vida abundante.

Quero também expressar a minha gratidão a todos os meus pacientes, pastores, irmãos em Cristo que me deram a oportunidade de participar de sua caminhada em direção à saúde. Cada testemunho que recebo é um alento e bálsamo para o meu coração.

Ao meu amigo Luciano Subirá, que "anda a segunda milha", agradeço por sua ajuda e estímulo para que este livro viesse à existência. São imensuráveis os seus elogios às minhas habilidades culinárias.

Endossos

Dr. Aldrin é um exemplo de mordomia cristã. Seu trabalho tem impactado milhares de pessoas, promovendo um corpo são para uma mente sã. Esta obra é uma síntese desse precioso trabalho. Leia-a e, assim como eu, seja inspirado a desejar viver com saúde até os 100 anos ou mais.

PR. MÁRCIO VALADÃO

O autor utiliza-se do seu exímio conhecimento médico ortomolecular para trazer uma revelação carregada da verdade eterna de forma científica, porém altamente profética. Ele irá fazê-lo refletir sobre a relevância que a saúde física pode ter no processo de purificação. Em suas palestras e ministrações, somos confrontados cientificamente por uma leitura bíblica que adentra os meandros da saúde de Cristo como um modelo a ser seguido. Além disso, ele percorre versículos bíblicos que fazem apologia a um estilo de vida saudável como parte do processo de santificação embasados tanto no Antigo quanto no Novo Testamento. Isso abre os nossos olhos para novas possibilidades de longevidade por meio da fé prática. Meu desejo é que você não tenha apenas uma boa leitura, mas, sobretudo, vá além e coloque em prática os preceitos bíblicos presentes em cada página deste livro, ampliando nossa visão acerca do corpo, que é a morada do Altíssimo. Essa metanoia irá tornar-se uma revolução em sua jornada e provavelmente promoverá ajustes significativos em sua rotina para alcançar os 120 anos propostos na Bíblia.

AP. LUIZ HERMÍNIO
MEVAM

Quando meu amigo, Dr. Aldrin, disse que seu livro estava pronto, fiquei muito empolgado, pois por meio dele outras pessoas poderão ser abençoadas como fui quando cheguei tão doente em seu consultório. Com princípios bíblicos e médicos, Dr. Aldrin trata da nossa saúde de forma integral, inclusive o aspecto espiritual. Leia este livro maravilhoso e seja curado por meio de cada página.

Pr. Lucinho Barreto

Por muito tempo, negligenciei a minha saúde e o meu bem-estar, o que resultou em ganho de peso e indicadores de saúde desequilibrados. O Dr. Aldrin, um homem de Deus e excelente médico, foi um verdadeiro milagre na minha história. Além de um conhecimento profundo da medicina, como poucas vezes testemunhei, ele carrega uma bagagem espiritual profunda, e a combinação de todas essas coisas trouxe cura e despertou em mim o desejo de cuidar de outros.

Roselen Boerner Faccio
Senior Global Pastor Sabaoth Church, Itália

Sou testemunha viva e ocular do seu caráter ilibado, sua humildade, simplicidade, seu coração de servo. Também testemunhei diversos testemunhos de cura, libertação e melhoria da qualidade de vida de várias pessoas, pela operação de Deus por meio da vida do Dr. Aldrin. Leia este livro e peça a ajuda do Espírito Santo, e garanto a você que sua vida não será mais a mesma.

Ap. Judá Bertelli

Eu me lembro da primeira vez em que entrei no consultório do Dr. Aldrin. Na ocasião, ele me disse uma frase de que nunca me esqueci: "Deus não quer que você apenas viva, mas que tenha uma vida abundante". Essa verdade entrou como uma espada em meu coração, e desde então, Deus o tem usado para cuidar não só de nossa família, mas de um grande número de líderes ao redor do mundo. Este livro nada mais é que um presente para a igreja; creio que muitos serão tocados, transformados e impactados com as verdades e revelações contidas nele.

PR. JUDSON DE OLIVEIRA

Quando fiz 35 anos, tomei uma decisão de chegar saudável aos 40, e assim, começou uma série de mudanças em meu estilo de vida. Foi quando conheci o Dr. Aldrin, que me ajudou a enxergar a saúde através de outro prisma. De lá para cá, foram inúmeras mudanças no estilo de vida, na alimentação, nos treinos, e hoje, rumo aos 50 anos, nunca me senti tão vivo, entusiasmado e disposto a viver o que Deus tem para minha vida. Recomendo que você não só leia este livro, mas o pratique, pois muitas vezes o que destrói uma pessoa não é o que ela não sabe, e sim o que ela sabe, mas não pratica. Que este livro seja uma bênção ao povo que quer cumprir seu propósito na Terra.

PR. MARCELO BIGARDI

"Não nos orgulharemos do que se fez fora de nosso campo de autoridade. Antes, nos orgulharemos apenas do que aconteceu dentro dos limites da obra que Deus nos confiou, que inclui nosso trabalho com vocês" (2Coríntios 10:13). *Rumo aos 120 anos* reflete a importância de focarmos em nossa área designada por Deus, seguindo a mensagem de 2Coríntios 10:13. O livro destaca a busca da plenitude e realização dentro dos limites divinos, encorajando a vivermos uma vida significativa em consonância com o propósito de Deus, independentemente da extensão temporal.

PR. DJALMA TOLEDO
REMIR

Deus fez de nosso corpo o templo de habitação do Espírito Santo. Porque o Espírito Santo habita em nós, é necessário que nosso corpo esteja saudável. A Metanoia Saúde (com Dr. Aldrin Marshall), ensinou-me a alcançar um o corpo saudável e uma saúde plena. Com isso, sou capaz de cumprir todos os propósitos que Deus tem para minha vida.

Pr. Eduardo Kunning

Quando procurei tratamento com o Dr. Aldrin, eu estava entrando em um processo de envelhecimento precoce. Sentia que minhas forças estavam se esvaindo. Processos alérgicos, qualidade de sono ruim, perda de massa muscular. Comecei a sentir falta da disposição que eu sempre tivera. Dificuldades para me lembrar de informações corriqueiras. Já não estava conseguindo cumprir meus compromissos com o mesmo vigor de antes. Precisava urgentemente de um suporte de saúde para desenvolver tudo aquilo que Deus havia planejado para mim. Foi então que tive um direcionamento de me consultar com o Dr. Aldrin, e já nos primeiros dias de tratamento alguns dos sintomas incômodos que eu vinha apresentando desapareceram. Conscientizado de que nosso corpo é o templo do Espírito Santo, com a mudança de hábitos proposta e o uso das prescrições, pude experimentar um verdadeiro rejuvenescimento. Desde então tenho visto cumprir-se em minha caminhada a promessa de Jesus que está em João 10:10: "Eu vim para que tenham vida e vida em abundância". O Dr. Aldrin é um homem de Deus extremamente competente. Ele atua com base em diagnósticos precisos e uma intervenção acurada. Não tenho dúvidas de que foi levantado nesta nação para cuidar do povo de Deus.

Serlon Santos
Juiz de Direito

Para mim é uma honra recomendar esse livro do meu amigo Dr. Aldrin Marshall. Um homem levantado por Deus nesse tempo para curar e ensinar o caminho da cura e da estabilidade na saúde. É maravilhoso recebermos os conselhos de Deus por meio do ensino do Dr. Aldrin Marshall sobre a vida abundante na perspectiva da vida de Jesus. Neste livro, iremos aprender a ressignificar a vida a partir dos padrões bíblicos, os quais ensinam a viver um estilo de vida abundante, e não um estilo de morte. A ênfase bíblica sobre a vida abundante nos desafia e nos responsabiliza a cuidarmos da nossa vida de forma integral, espírito, alma e corpo. Desfrute dessa leitura e aprenda a viver com qualidade de vida! "E, se o Espírito daquele que ressuscitou Jesus dentre os mortos habita em vocês, aquele que ressuscitou a Cristo dentre os mortos também dará vida a seus corpos mortais, por meio do seu do seu Espírito, que habita em vocês" (Romanos 8:11).

BISPO FÁBIO COSME DA SILVA
(Igreja Metodista do Brasil)

Com sua mente brilhante e iluminada, Dr. Aldrin Marshall escreveu este livro, *Rumo aos 120 anos*, cuja abordagem tem como objetivo enfatizar a ideia de que é possível se tornar longevo dentro dos parâmetros do tempo determinado por Deus, conforme está escrito em Gênesis 6:3. Os argumentos tanto teológicos quanto científicos dão solidez à proposição do autor. Em todo processo existencial, percebe-se uma clara evidência da singular graça de Deus, que pela qual faz concessão da vida a cada criatura humana. Entretanto, a contribuição do homem consiste na sua relação adequada com Deus e o cuidado com si próprio, nisso consiste seu natural esforço. Em Eclesiastes 7:17, Salomão diz: "Não sejas demasiadamente perverso, nem sejas louco; por que morrerias fora do tempo". O livro do Dr. Aldrin deve ser lido por todos, para que vivam singularmente na perspectiva de se tornarem longevos; apesar de "a vida ser uma via perigosa", pela graça a vivemos sob os cuidados do gracioso Deus. Concluo com uma citação de Dallas Willard, que diz: "A graça não é o oposto de esforço, mas sim de mérito".

PR. ARNOU OLIVEIRA DOS ANJOS

Testemunho

O efeito médico de confiança!

Sabe aquele tipo de médico que só de começar a falar com ele você já sente uma melhora ao final da consulta?

Bem, é assim que me sinto quando passo por uma consulta com o Dr. Aldrin. A competência técnica dele aliada à forma afetuosa como atende aos pacientes são fundamentais para criar um ambiente de esperança e promover no paciente uma disposição para recomeçar uma fase com novos medicamentos e instruções médicas.

Eu fui diagnosticada com fibromialgia há aproximadamente 25 anos. Meu corpo travava, com contrações musculares e dores terríveis. Esses travamentos eram constantes, não havia um dia sequer sem dor. Tinha a impressão de que os ligamentos e tendões eram mais curtos ou constantemente contraídos. As piores que eu sentia eram nos músculos peitorais, quando contraíam impediam que respirasse normalmente, fazendo respirações curtas e rápidas. Era horrível. Só não sentia dor quando dormia dopada por remédios.

Eu falava constantemente aos médicos que isso não era fibromialgia. Eles, no entanto, respondiam que eu apenas não aceitava o diagnóstico. Depois de catorze anos, senti que Deus começou a me curar em casa, sozinha, em minha cama. Nesse dia, senti como se fios desencapados estivessem encostando um no outro dentro do meu cérebro. Eu sei que é estranho, mas foi aí que comecei a melhorar. Pedi indicação de outro reumatologista a uma médica conhecida.

O novo médico descobriu que o que eu tinha, na verdade, era síndrome de Sjögren. Eu nunca tinha ouvido falar sobre essa doença e até pedi para que ele escrevesse o nome dela para mim, assim eu poderia pronunciá-lo corretamente. Ele substituiu os remédios de fibromialgia por outros adequados ao tratamento da síndrome de Sjögren, mas ainda eram remédios que provocavam reações fortes e me deixavam dopada.

Doenças autoimunes costumam abrir portas para as chamadas doenças oportunistas, então todo mês havia troca de remédio e um resultado lento, marcado por muitas crises. Aqui, estou sendo bem objetiva, porque no total são quase 25 anos de luta. Foram muitos momentos de sofrimento, de busca de alívio aos pés do Senhor, e o Espírito Santo me sustentou em todas as vezes.

Quando meu esposo me falou do Dr. Aldrin, fiquei esperançosa. Já na primeira consulta ele perguntou tantas coisas que cheguei a pensar: o que isso tem a ver com tudo o que tenho? Ele pediu muitos exames e sugeriu os medicamentos. Aos poucos, fui percebendo que meu corpo estava voltando ao que era antes desse pesadelo tão longo. Apesar disso, eu tive de lidar com muitas sequelas relacionadas à própria enfermidade e aos remédios errados que tomei por muito tempo. Perdi muito cabelo, e isso me deixou muito incomodada. Havia gastado o que não podia com tratamentos sem qualquer resposta positiva. A área hormonal estava totalmente desregulada, e o refluxo tornava a alimentação algo doloroso e traumático.

Além da melhora visível do cabelo, a resistência física, a parte hormonal, a melhora do refluxo e até a perda de peso foram contempladas. Como é importante alguém que nos olha como um corpo que funciona de forma interligada e interdependente. Quem me vê hoje não acredita que passei por tudo isso, mas quem conviveu comigo sabe que Deus

TESTEMUNHO 19

colocou anjos na minha vida e um deles é o Dr. Aldrin, só que esse anjo cursou medicina.

Obrigada, meu amigo e Dr. Aldrin! Não sou somente eu quem agradece, meu esposo também.

PASTORA VASTI SIÉBRA BREDER
Primeira Igreja Batista de Campo Grande (MS)

Prefácio de Luciano Subirá

Conheci o doutor Aldrin Marshall em junho de 2014 em seu consultório localizado, à época, em Belo Horizonte. Desde esse primeiro encontro, tive uma conversa bem interessante com ele. Não fui lá para me consultar. Eu apenas estava na cidade, pregando na igreja dele e, por indicação de amigos, acabei procurando-o apenas com o intuito de conhecê-lo.

O Aldrin se mostrou preocupado com minha saúde e com a necessidade de que eu mudasse minha mentalidade e conduta, caso eu realmente quisesse viver para cumprir todo o propósito de Deus para minha vida. Aproveitei para falar como já vinha emagrecendo e mudando hábitos nos últimos anos, como já havia passado a me cuidar em várias questões e tentei garantir que já estava *tocado* com a necessidade de mudar. Foi nesse momento da conversa que ele aproveitou para dizer:

— Pastor, eu também ministro a Palavra de Deus. Não tanto quanto você, que faz isso quase todo dia, mas sou um pregador. E uma das coisas mais frustrantes para mim, na condição de proclamador da Palavra de Deus, é ver alguém sair do seu lugar e ir à frente na hora do apelo, chorar dizendo para si mesmo que mudará de vida, mas, depois de um tempo, se esquecer completamente daquele toque inicial que havia recebido.

Então ele emendou uma pergunta:

— O senhor também sente isso quando prega, e esse tipo de coisa acontece?

— Claro que sim — concordei. Porém, não tinha a menor ideia do rumo que nossa conversa tomaria. Então ele prosseguiu:

— Mas você concorda comigo que se essa pessoa lesse mais a Bíblia, para manter acesa a consciência que foi despertada nela, seria bem mais fácil para ela preservar aquilo que recebeu na hora da mensagem?

Novamente, admiti que concordava com ele, que disparou:

— É assim que eu já estou sentindo agora, do lado de cá da mesa. Estou vendo você todo "tocado" com a nossa conversa, mas já imaginando que daqui a uns dias essa sua consciência terá ido embora.

Levei um choque naquele momento. Entendi a frustração dele a partir da minha perspectiva como pregador e também a forma leviana com que vinha tratando o assunto da saúde. Foi um choque.

E ele finalizou com outra analogia:

— Eu sugeriria que você, a partir de hoje, lesse mais a *minha* Bíblia.

Eu questionei:

— Como assim, a *sua* Bíblia?

E ele explicou:

— Falo sobre as informações da medicina a respeito do funcionamento fisiológico do corpo e as medidas de cuidado que necessitam ser tomadas, a fim de que você possa entender melhor o que significa, em termos práticos, cuidar da saúde. Refiro-me às questões sobre uma alimentação saudável, sono e exercícios físicos. Tudo isso o ajudará não somente a compreender o que digo como também será útil no sentido de mantê-lo mais consciente da sua responsabilidade no cuidado do corpo. Sem contar que esse entendimento ainda lhe oferecerá um caminho prático para viver nesse novo nível de entendimento.

Como sempre fui muito *curioso* sobre quase tudo, decidi, após essa conversa, entender melhor o funcionamento do corpo e o cuidado devido a ser dispensado para com ele. Mas também decidi, primeiramente, estudar as Sagradas Escrituras com a finalidade de enxergar as verdades dessa área que eu não vinha percebendo até então. E posso dizer que, desde então, para mim tem sido de grande valia entender não só as questões fisiológicas, mas, principalmente, a revelação bíblica dessas verdades que antes eu ignorava. Li muitos livros relacionados a esse tópico (que o

PREFÁCIO DE LUCIANO SUBIRÁ 23

próprio Aldrin me indicou), além de todas as muitas conversas que passei a ter com ele a partir desse tempo, e procurei prestar mais atenção ao que a Bíblia fala sobre o assunto.

Esse foi o início de um novo tempo, resultante de uma profunda mudança de mentalidade e que revolucionou todos os meus marcadores de saúde — que hoje, quase dez anos depois, são muuuuito melhores do que naquela época. Acabamos nos tornando amigos, além do fato de que o Aldrin passou a ser meu médico. Por conta do quanto fui enriquecido nessa área, bem do como do quanto tenho testemunhado pessoas mudarem seu estilo de vida e, consequentemente, sua saúde, tornei-me um dos muitos incentivadores para que ele escrevesse esta obra. E a razão do meu pedido insistente era para que muitas outras pessoas pudessem compreender fatos e verdades que as ajudassem a ter uma vida saudável, como eu mesmo fui ajudado.

Já cheguei a pesar, pasmem, 153 quilos! Quando me aproximei do Aldrin eu já havia perdido um certo peso (estava com uns 126 quilos) e, dessa forma, me livrado dos problemas mais graves, como pressão alta e diabetes. Entretanto, minha saúde ainda estava bem precária quando passei e ser acompanhado por ele. O nível de estresse encontrava-se muito elevado, os chamados "gatilhos" de derrame e/ou enfarto estavam todos acionados, o sedentarismo, o excesso de peso, a falta de sono e de uma alimentação de qualidade, somados, eram, basicamente, uma bomba armada e na iminência de explodir.

A entrada do entendimento correto que o Metanoia Saúde,[1] ministério liderado pelo Aldrin Marshall e sua esposa Cristiana, proporcionou a mim e a muitos outros é de valor imensurável. Eles têm "salvado" muitas vidas, e a minha é uma delas. Não apenas na conotação espiritual da palavra, mas também na aplicação natural e literal dela.

· · · · · · · ·

[1] Encorajo-o a acessar o *site* e conhecer mais acerca do Metanoia Saúde: https://www. metanoiasaude.com.br.

O título *Rumo aos 120 anos*, baseado em pesquisas científicas que mostram ser possível chegar a tamanha expressão de longevidade, não tem como proposta oprimir a ninguém. Antes, visa incentivar, por meio de instruções que proporcionam uma mudança de mentalidade e de conduta, que não apenas possamos ter mais anos de vida como também mais vida em nossos anos. Ouvi essa definição, anos atrás, do próprio autor. E, graças a esse ensino, minha qualidade de vida melhorou muito nos últimos tempos, bem como a expectativa de vida.

O Dr. Marshall escreveu um prefácio e também um apêndice — um artigo médico-científico — em meu livro *A cultura do jejum*, publicado pela Editora Hagnos em junho de 2022. Agora, sinto-me honrado por poder retribuir à altura: prefaciar a obra dele e também oferecer um complemento, que constará como apêndice, falando acerca dos benefícios do jejum sob a perspectiva bíblica.

Fico feliz de que este livro tenha chegado às suas mãos. Recomendo entusiasticamente a sua leitura e releitura. E se você, como eu, for edificado por meio desta obra imprescindível, peço que também se torne um promotor dessas verdades para que muitos outros também sejam alcançados e desfrutem a realidade bíblica e científica de uma vida longa e plena.

LUCIANO SUBIRÁ
Pastor na Alcance Curitiba, responsável pelo Orvalho.Com

Introdução

Shalom! Que a paz que excede todo entendimento esteja com você durante toda a leitura deste livro!

Nestas páginas, histórias de personagens bíblicos e do meu cotidiano misturam-se. Creio que você irá se identificar em algumas dessas histórias, afinal a Bíblia é um livro sobre pessoas reais vivendo situações reais, convergindo em Jesus, que era 100% homem e 100% Deus.

> Assim, é evidente que ele não suportou tudo isso por causa dos anjos, e sim por causa de pessoas como nós, filhos de Abraão. Foi por isso que ele teve de assumir a vida humana de forma integral. Então, quando se apresentou diante de Deus como sacerdote principal, para retirar os pecados da humanidade, ele já havia experimentado toda a dor e havia passado em todos os testes e agora tinha condições de ajudar no que fosse necessário (Hebreus 2:16-18, *A Mensagem*).

Eu gostaria de iniciar compartilhando a minha história.

Sou médico, pós-graduado em Medicina Bioquímica e Prática Ortomolecular, Homeopatia, Nutrologia e Pediatra. Esta última com título de especialização pela Sociedade Brasileira de Pediatria. Atualmente, curso pós-graduação em Oncologia Integrativa. Também sou pastor pela Igreja Batista da Lagoinha.

Em 2005, percebi que estava vivendo um estilo de vida que me confrontava com a Palavra em João 10:10: "Eu vim para que tenham vida e vida abundante".

Eu olhava para minha vida e, infelizmente, mesmo sendo cristão, essa não era minha realidade. O meu estilo de vida, na verdade, era um estilo de morte. Eu vivia com sintomas de doenças, cansaço, fadiga, qualidade de sono horrível, memória e concentração já não eram mais adequadas (meu apelido era computador, e este começou a dar pane), nível de irritabilidade alto, pavio curto (muitas vezes, nem tinha pavio). E, com isso, outros sintomas se desenvolveram. Eu me alimentava mal, apresentava sintomas digestivos, enxaqueca, quadros alérgicos, dores articulares, alterações nos exames laboratoriais e, consequentemente, iniciei um processo de obesidade.

E neste confronto com a Palavra, minha esposa, Cristiana Toledo, e eu oramos ao Senhor e buscamos nele uma forma de colocar em prática a promessa de vida abundante que ele nos fez. Então vários questionamentos surgiram:

- O que significa vida abundante?
- Por que, como cristãos, esta não é nossa realidade?
- Como chegamos a este ponto?
- Por que não olhamos para Jesus como nosso modelo de vida saudável?
- Por que somos tão negligentes com o templo do Espírito Santo?

Deus nos mostrou na Palavra os princípios de uma vida abundante durante nossas caminhadas matinais. Em um processo de *brainstorm* oxigenado pela atividade física e potencializado pela produção de vitamina D resultante da exposição à luz solar, concebemos o esboço do Metanoia Saúde: 10 princípios de uma vida saudável.

Nessa época, eu havia iniciado minha pós-graduação em Medicina Ortomolecular, e percebi que o que estava sendo estudado sobre longevidade e qualidade de vida já havia sido descrito na Bíblia, em uma linguagem tecnológica adequada à cultura daquela época. Hoje, com os avanços do conhecimento científico, podemos identificar a conexão entre a Bíblia e a Ciência.

INTRODUÇÃO 27

Lembro-me de uma situação muito peculiar que ocorreu nessa época, quando, ao buscar entender o que era a vida abundante mencionada na Bíblia, um pensamento reverberou em minha mente: "Pare de investir no futuro marido da sua futura viúva!". Um sinal de alerta disparou, pois pude realmente ver que eu estava prosperando financeira, profissional e socialmente, mas tudo isso custava um preço muito alto e abreviava meu tempo de vida.

Até aquele momento, eu estava sendo hipócrita, pois como médico, eu deveria ser um exemplo de vida saudável para meus pacientes, mas eu estava somente replicando aquele ditado popular: "Faça o que eu digo, não faça o que eu faço". Cristiana e eu então decidimos quebrar este padrão e começamos a colocar em prática os princípios bíblicos e científicos de uma vida saudável, experimentando e comprovando que a realidade contida na Palavra era possível em nossos dias atuais.

Que boa notícia! Aquilo que Deus lhe dá nunca é somente para você! Deus disse a Abraão: "Sê tu uma bênção" (Gênesis 12:2, ARA). Quando minha esposa e eu passamos a viver essa realidade, percebemos que as pessoas à nossa volta foram encorajadas a buscarem o estilo de vida de Jesus.

Com isso, surge o Seminário Metanoia Saúde, abrindo portas para falarmos sobre o cuidado com o templo do Espírito Santo. E como médico, Deus concedeu-me o privilégio de atender a seus filhos em meu consultório, buscando restaurar os processos bioquímicos e fisiológicos de saúde.

E, agora, esse livro tem o objetivo de ser um ponto de partida, para que você "prossiga para o final da corrida, a fim de receber o prêmio celestial para o qual Deus nos chama em Cristo Jesus" (Filipenses 3:14, NVT).

No entanto, isso não diz respeito apenas ao seu espírito e à sua alma, mas também ao seu corpo. Em 1Tessalonicenses 5:23, o apóstolo Paulo diz: "Mantenha irrepreensível espírito, alma e corpo, até a vinda do nosso Senhor Jesus Cristo". Esse é um conceito que nós, como cristãos, temos perdido ao longo dos séculos. Hoje, porém, podemos observar que há uma restauração desse princípio bíblico, como está escrito em 3João 2: "Amado, oro para que você tenha boa saúde e tudo lhe corra bem, assim como vai bem a sua alma". Para isso, é necessária uma interferência ativa no estilo de vida; algumas medidas devem ser tomadas para que essa realidade de saúde seja algo palpável e praticável diariamente.

Sou formado há 30 anos, e em todos esses anos de exercício de medicina, eu mudei a forma como eu a pratico. Inicialmente, eu buscava tratar somente aquilo de que o paciente se queixava e o medicava para que os sintomas desaparecessem. No entanto, quando comecei a ficar doente, esta abordagem já não era o suficiente. Percebi que eu não tinha uma vida de qualidade, e era isso que eu e os meus pacientes deveríamos almejar. Não bastava somente cortar os frutos estragados (sintomas) da árvore, mas cuidar desde o terreno e a raiz (prevenção).

Então, um novo parâmetro foi estabelecido: eu quero *viver* até morrer, em vez de apenas *sobreviver* até morrer!

Comecei a me aprofundar nessa nova área da medicina, e essa abordagem preventiva remete ao aforismo de Hipócrates, pai da medicina: "Que seu alimento seja seu medicamento e seu medicamento, seu alimento".

É isso mesmo! O medicamento mais poderoso que você pode ter ao alcance é o alimento criado por Deus. Nosso desejo é que você transforme sua cozinha em uma farmácia de manipulação, com alimentos-medicamentos que trazem vida, saúde, disposição, energia e prevenção de doenças.

A Bíblia diz em Oseias 4:6: "O meu povo está sendo destruído por falta de conhecimento".

Durante a leitura deste livro, a nossa proposta é que você não faça somente uma dieta ou algo imediatista e passageiro, mas tenha a oportunidade de sair de um estilo de morte e comece a desfrutar de um *estilo de vida.*

A propósito, dieta é aquela etapa que você não vê a hora de acabar, para finalmente voltar a comer tudo o que comia antes, e a ideia definitivamente não é essa!

Colocar o foco em perder peso e emagrecer é um equívoco da nossa era. O nosso objetivo é que você reverta processos metabólicos e bioquímicos que estão alterados, criando um terreno para que seu organismo tenha a capacidade de se curar e regenerar.

E o primeiro passo?

É dar o primeiro passo.

"Levantar-me-ei, e irei ter com meu pai..." (Lucas 15:18, ACF)

1

SAINDO DO PILOTO AUTOMÁTICO

Atitude

> **"**Você não sabe como vai ser a sua vida amanhã, pois a sua vida é como uma neblina passageira que aparece por um tempo e logo desaparece.**"**
>
> **TIAGO 4:14**

Tudo começou com uma escolha: "No começo Deus criou os céus e a terra" (Gênesis 1:1). Deus decidiu criar o universo e os seres humanos à sua imagem e semelhança; porém, mais do que apenas criar, Ele decidiu dar àqueles a quem amou desde a fundação do mundo um presente imensurável: o livre arbítrio. Agora responda a si mesmo: quantas vezes você já pensou como seria melhor se Ele não lhe concedesse esse poder de escolha? Como a vida seria "mais feliz" se não fosse preciso decidir nada, pois sabe que suas escolhas trazem responsabilidades consigo?

Você molda a sua vida pelas escolhas que faz, até mesmo quando se recusa a fazê-las, pois se recusar a escolher já é uma escolha. Hoje o encorajamos a fazer escolhas que o levarão a uma vida saudável, longe do estresse crônico, das toxinas, da reclamação, dormindo melhor, mais disposto, enfim, escolhas que o levem a cumprir o propósito da sua existência. Quer uma notícia ainda melhor? Você não está sozinho nesta caminhada cheia de escolhas. Você tem um conselheiro fiel, que pode consultar antes de cada decisão. Sim, porque Deus escolheu nos criar, decidiu nos dar a liberdade da escolha, mas nunca disse que não nos ajudaria com elas. Pelo contrário. Ele disse: "Eis que estarei convosco todos os dias, até a consumação dos séculos" (Mateus 28:20).

Na época em que atuava como pediatra, eu morava em uma cidade do interior. Então comecei a viver uma rotina desgastante (adoecedora), saindo de plantões de 24 horas e ao invés de descansar, continuava trabalhando no consultório. Você já imaginou o que uma rotina sem descanso adequado pode fazer com sua saúde? Você consegue imaginar como eu estava vivendo?

Quando o meu celular tocava, eu sentia o coração disparar. Você também é assim? Quando ouve o celular vibrar ou percebe alguma notificação, você já quer conferir o que está acontecendo? Isso ocorre porque algumas vias neurais de alerta ou recompensa são ativadas. Mais à frente, vou explicar melhor.

Sou a terceira geração de batistas e, na igreja local, eu era muito ativo. Ocupava o cargo de vice-presidente da igreja, atuava como ministro de louvor, regente de coral, líder de células e do ministério de casais. Portanto, estava sempre atarefado, exercendo muitas funções na igreja. Então, comecei a atentar para as Escrituras e percebi que no Evangelho de João 10:10 está escrito que Jesus veio para dar vida, e vida em abundância. Não apenas vida, mas vida abundante.

Aí, comecei a finalmente olhar para minha vida e constatei que eu buscava essa "vida abundante" para ⅔ de quem eu sou (espírito-alma), esquecendo-me do ⅓ que era o templo do Espírito Santo, justamente a área em que Deus me vocacionou para abençoar outras pessoas.

Quando desenvolvemos um hábito, um padrão é estabelecido, condicionando-nos a uma rotina. O nosso cérebro é fantástico e ama manter-se em uma rotina já estabelecida. Na física, de acordo com a Lei da Inércia, para sair da inércia um objeto gasta uma grande quantidade de energia. Um foguete, por exemplo, gasta em média dois terços do seu combustível só para sair da atmosfera. Ao se deslocar para o trabalho, você deve imaginar que pegou o caminho mais curto, não é? Em sua mente, você deve pensar: "Mas é claro que vim pelo caminho mais curto". Não, você fez o trajeto que seu cérebro está acostumado a fazer. O caminho mais curto é sempre uma reta, e você não consegue chegar ao trabalho por uma reta. Para seguir as leis de trânsito, você precisa passar por curvas também. Fazer o que você está acostumado a fazer nada mais é do que um condicionamento.

E eu estava vivendo esse condicionamento. Eu me submeti a um padrão no qual acionei o piloto automático e passei a funcionar de uma forma deletéria para meu organismo. No entanto, o meu corpo não foi preparado para funcionar no piloto automático, porque ao nascer de novo, fui capacitado para viver a vida abundante.

Como pediatra, tenho de dar uma nota para o recém-nascido (chama-se índice de APGAR). Eu avalio se ele está com vitalidade para poder viver nesse mundo novo, uma nova etapa que exige mudanças em sua fisiologia e anatomia. Um dos parâmetros desse índice é que o bebê precisa chorar, pois este é um sinal de que o oxigênio entrou em seus pulmões. Afinal, quando está dentro do útero materno, o bebê não respira pelos pulmões; nesse caso, a respiração é realizada pela placenta. Quando o cordão umbilical é clampeado, ocorre um processo de hipóxia (redução do nível de oxigênio sanguíneo e aumento do gás carbônico), que estimula os pulmões a começarem a funcionar. Para que isso aconteça, acontecem algumas alterações anatômicas e fisiológicas no organismo do bebê (coração, vasos umbilicais, pulmões). Com isso, ele começa a respirar pelos pulmões, e um dos sinais de que está respirando é o choro.

Veja que interessante a expressão que Jesus usa ao falar com Nicodemos: "Portanto, não se surpreenda quando eu digo: É necessário nascer de novo" (João 3:7, NVT).

Quando a criança transiciona da vida fetal para neonatal, seus pulmões passam a ser funcionantes, havendo uma nova conformação anatômica do coração. Tendo em vista essas mudanças, é possível que essa criança volte a respirar pela placenta como costumava fazer? Não. Isso é impossível do ponto de vista tanto anatômico quanto fisiológico.

Isso é nascer de novo! Significa que não existe mais jeito de voltar a viver da forma que você vivia. É por isso que a Palavra diz que Jesus Cristo "se entregou a si mesmo pelos nossos pecados, para nos desarraigar deste mundo perverso, segundo a vontade de nosso Deus e Pai" (Gálatas 1:4, ARA). Ele morreu para nos libertar do modo de pensar que nos escraviza a um padrão que achamos ser melhor continuarmos vivendo, ou melhor, sobrevivendo, da forma como estávamos habituados.

Apesar de ser cristão e ter o privilégio de, como Timóteo, ter sido criado em um ambiente de fé — que me permitia parafrasear 2Timóteo 1:5: "Lembro-me de sua fé sincera, como era a de sua avó, Lola, e de sua mãe, Maria Lúcia" — e realizar tantas atividades na igreja, eu estava vivendo um padrão equivocado. Eu buscava o Senhor, certamente o amava, mas continuava vivendo um padrão inadequado para quem eu havia me tornado. Aquele já não podia mais ser o meu modelo, porque se eu nasci de novo, eu não podia mais viver aquela rotina. E você também não pode mais viver um padrão que já não é mais o seu.

Minha esposa e eu começamos a perguntar ao Senhor: "Deus, o que é essa vida abundante? Será que ela se adequa somente ao espírito? Será que é para a alma? Será que alcança o corpo? Será que nos aguarda para a glória?". Veja o que está escrito em Romanos 8:11 na Nova Versão Transformadora:

E, se o Espírito de Deus que ressuscitou Jesus dos mortos habita em vocês, o Deus que ressuscitou Cristo Jesus dos mortos dará vida a seu corpo mortal, por meio desse mesmo Espírito que habita em vocês.

Ao nascermos de novo, a mensagem e o padrão estabelecidos sobre a nossa vida sofrem uma transformação.

É claro que eu e você vamos morrer um dia. Sobre isso, Gênesis 6:3b (NVT) faz um apontamento importante: "Seus dias serão limitados a 120 anos". Um estudo publicado na revista *Nature*,[1] uma das mais conceituadas revistas médicas, também aponta que o nosso limite genético e biológico é de 120 anos. Isso me deixa entusiasmado, porque comprova mais uma vez que realmente a Bíblia é um livro científico.

A propósito, comprovando a cientificidade da Bíblia, quando lemos: "E não deixemos de nos reunir, como fazem alguns, mas encorajemo-nos mutuamente, sobretudo agora que o dia está próximo" (Hebreus 10:25, NVT), significa que precisamos estar em um ambiente de vida, gerador de vida, porque quando você está nesse lugar, a sua produção de oxitocina é aumentada. A oxitocina é um hormônio neuropeptídeo conhecido popularmente como "hormônio do amor", sendo produzida em uma região cerebral chamada hipotálamo. Esse hormônio atua no sistema nervoso central e nas glândulas adrenais como neuromodulador. Além disso, protege vários órgãos e tecidos, incluindo o sistema digestivo, o coração, os rins, os músculos, os pulmões, o útero e as mamas.

A oxitocina também é responsável pela liberação do leite materno, induzindo sentimentos de prazer, paz, quietude, pertencimento e cumplicidade durante o processo de amamentação. Também em ambientes em que são expressas palavras de vida e encorajamento, observa-se um aumento na liberação de oxitocina, fazendo com que você se sinta parte de algo e se sinta amado. E você, de fato, pertence a Alguém!

---

[1] DONG, Xiao; MILHOLLAND, Brandon; VIJG, Jan. Evidence for a limit to human lifespan. *Nature*, n. 538, p. 257-259, 2016.

Quando compreendemos esse sentimento de pertencimento, também entendemos que Deus nos criou de uma forma completa, para vivermos uma vida plena e com propósito: "E o mesmo Deus de paz vos santifique em tudo; e todo o vosso espírito, e alma, e corpo, sejam plenamente conservados irrepreensíveis para a vinda de nosso Senhor Jesus Cristo" (1Tessalonicenses 5:23, ARC).

Como médico, sinto-me perplexo e maravilhado ao estudar o corpo humano e toda a sua complexidade. Somos verdadeiramente a obra-prima da criação, assim como a Ferrari é considerada por muitos o suprassumo dos automóveis.

Apesar disso, devido ao meu estilo de vida, eu era como uma Ferrari batida. Eu ainda era uma Ferrari, mas não conseguia cumprir integralmente todo o propósito para o qual eu fui criado.

E o pior, o mundo nos faz acreditar que não somos uma Ferrari, mas um Fiat 147 com o motor a ponto de fundir. Então, negligenciamos os cuidados devidos a um supercarro: manutenção (check-up médico preventivo), combustível premium (alimentação saudável, água e modulação nutricional), limpeza (detoxificação), garagem (sono) e estradas adequadas (gestão do estresse e prática de atividade física).

A Bíblia diz que eu devo manter íntegros o espírito, a alma e o corpo. Isso significa que todas as áreas da minha vida precisam ser alcançadas pelo senhorio de Jesus, de modo que é impossível vivermos uma vida abundante se Ele não participar de todas as áreas da nossa vida. De outra forma, em vez de vivermos, apenas sobreviveremos.

É muito fácil continuarmos acostumados a uma rotina imprópria; era justamente assim que eu vivia. Mesmo sendo cristão, eu seguia esse estilo de vida tão inadequado e achava que estava bom. Entre outros sintomas, quando o telefone tocava, meu coração já disparava, eu sentia um aperto no peito que me causava muita angústia. Quem sofria eram as pessoas que eu mais amo, porque eu ficava muito irritado e isso as afetava.

Comecei a olhar para os meus colegas médicos e vi que, assim como eu, todos enfrentavam problemas de saúde. Logo nós, os promotores de saúde!

Deus chamou a minha atenção para como Ele me enxerga: de uma forma integral. Percebi que os cristãos em geral, inclusive eu, tendem a focar os cuidados com o espírito e a alma, enquanto negligenciam o cuidado do corpo, que é o templo do Espírito Santo.

Costumo pedir para os participantes das minhas ministrações apalparem suas próprias costas em busca de algum sinal de asas. É claro que não as temos, pois não somos anjos! Deus nos deu um corpo físico e criou todas as condições necessárias para que possamos preservá-lo a fim de cumprir todo o propósito que Ele tem para nós aqui na Terra.

Diante do "quadro clínico" que eu estava apresentando, cheguei ao "diagnóstico": "desnutrição", pois não estava na "curva de crescimento" da vida abundante.

E qual é a terapêutica? "Se confessarmos os nossos pecados, ele é fiel e justo para nos perdoar os pecados, e nos purificar de toda a injustiça" (1João 1:9, ACF).

Por não cuidar corretamente do meu corpo, de acordo com os princípios da Palavra, eu o estava destruindo. Para reverter a situação, era necessário tomar uma atitude de arrependimento, e foi o que eu e minha esposa fizemos. Nós dobramos nossos joelhos e pedimos perdão pelo tratamento inadequado que estávamos dando ao templo do Espírito Santo. Quando nos levantamos, saltaram aos nossos olhos vários versículos da Palavra que serviriam como medicamento para recuperarmos nossa saúde e adotarmos um estilo de vida abundante. Não imaginávamos que ali Deus estava gerando em nós o projeto Metanoia Saúde!

> Não imitem o comportamento e os costumes deste mundo, mas deixem que Deus os transforme por meio de uma mudança em seu modo de pensar, a fim de que experimentem a boa, agradável e perfeita vontade de Deus para vocês (Romanos 12:2, NVT).

Nos acostumamos tanto com o que temos e somos, que não abrimos mão para sermos quem podemos nos tornar. Nos limitamos a nós mesmos. No entanto, temos de entender que tolice é crer que não podemos alterar nossas rotinas por estarmos presos a ela. Entenda: a porta já foi aberta.

Ao termos a atitude de vivermos a liberdade já decretada na Cruz ("Está consumado" — João 19:30), damos início a uma metanoia (mudança de mente). O pensamento cativo mantém cativeiros mesmo diante de um decreto de liberdade. Pensar como escravos, agir como escravos, nos impede de viver a liberdade já decretada:

> E a vós outros, que estáveis mortos pelas vossas transgressões e pela incircuncisão da vossa carne; vos deu vida juntamente com Ele, perdoando todos os nossos pecados; e cancelou a escrita de dívida, que consistia em ordenanças, e que nos era contrária. Ele a removeu completamente, pregando-a na cruz (Colossensis 2:13-14).

É tolice dar crédito aos nossos sentimentos em vez de considerarmos a verdade propriamente dita. Com isso, ao vivermos por aquilo que sabemos ser a verdade, experienciamos uma *metanoia*, alterando a nossa rotina, substituindo velhos hábitos por novos, produzindo um estilo de vida que trará um efeito benéfico em nossa saúde.

Eu não sei como será sua vida amanhã, mas o hoje é o presente que Deus deu para todos nós. Por isso, chama-se presente. É comum pais ouvirem de seus filhos coisas como: "O que você trouxe para mim hoje?". Do mesmo modo, creio que somos filhos de um Pai que se relaciona conosco de uma forma tão especial que ama presentear-nos.

Então, como meus filhos perguntam para mim até hoje (apesar de já serem adultos), eu também posso perguntar: "Pai, qual presente irei desembrulhar hoje?". Diferentemente de nós, seres humanos, que temos de ir a algum local para adquirir um presente, Deus já preparou os presentes para nós antes mesmo da fundação do mundo, precisamos apenas desembrulhá-los e compartilhá-los, nunca os reter ("Sê tu uma bênção" — Gênesis 12:2b).

SAINDO DO PILOTO AUTOMÁTICO 39

Imagine um lago cheio de peixes, mas com uma grande rachadura. Quando chega a época de chuva, ele enche, fica pela borda, mas, por causa da fenda, vai esvaziando aos poucos, sendo necessário ligar uma bomba para oxigenar a água e salvar os peixes.

Na verdade, já estamos habituados a viver como esse lago, em um ciclo de encher-esvaziar; é como se estivéssemos em hipóxia (falta de oxigênio) espiritual, desejando sermos abençoados, mas não abençoadores.

O Espírito Santo, no entanto, diante desse quadro de falta de oxigênio, vem com uma "escavadeira celestial" e abre um canal em seu lago espiritual, para que do seu interior flua rios de águas vivas (João 7:38).

Não fomos criados para viver o padrão de um peixinho que está morrendo, mas sim para viver de glória em glória, experimentando a realidade da Palavra em todos os aspectos da vida, como diz a Escritura:

> Agora é hora de ter um estilo de vida totalmente novo, zerado — uma vida planejada por Deus, renovada a partir de dentro; uma vida que muda para melhor a conduta de vocês e que faz o caráter de Deus tornar-se realidade em nossa vida (Efésios 4:23-24, A Mensagem).

É importante abandonar definitivamente a procrastinação que, segundo o Dicionário Michaelis de Português, significa adiamento, delonga, demora. Esta atitude fica explícita na passagem de Êxodo 8:8-10 (NVT):

> Então o faraó convocou Moisés e Arão e disse: "Supliquem ao Senhor que afaste as rãs de mim e de meu povo. Deixarei seu povo sair para oferecer sacrifícios ao Senhor". "Pois escolha a hora!", respondeu Moisés. "Diga-me quando deseja que eu suplique pelo faraó, por seus oficiais e por seu povo". Então o faraó e suas casas ficarão livres das rãs, e elas permanecerão apenas no rio Nilo. "**Que seja amanhã**", disse o faraó. "Será como o faraó disse", respondeu Moisés. "Então saberá que não há ninguém como o Senhor, nosso Deus."

Você pode estar se questionando, assim como eu me questionei: "Como posso transformar, da noite para o dia, uma rotina de anos negligenciando o cuidado com o meu corpo?".

O primeiro passo já foi dado quando você orou, pedindo perdão a Deus pela forma ou motivação errada com a qual vinha cuidando do templo do Espírito. Isso expressa o seu desejo de não se amoldar a este mundo e ser transformado pelo renovar da sua mente, "porque vocês, irmãos, foram chamados para viver em liberdade" (Gálatas 5:13a NVT). O segundo passo é colocar em prática o estilo de vida de Jesus. Você conhece o estilo de vida de Jesus? Você já parou para pensar sobre o estilo de vida que está levando?

Algumas questões podem ser levantadas:

- Você é administra o seu tempo de forma sábia?
- O que exatamente você faz quando não está trabalhando ou dormindo?
- Você é como a maioria dos brasileiros que, segundo a pesquisa Global Digital Overview 2020, passa em média 2h24m (84 minutos) por dia, 30.240 minutos ou 2 ½ meses por ano nas redes sociais?
- Você é um *workaholic* (viciado em trabalho)?
- Você faz tudo ao mesmo tempo?
- Você faz da atividade física uma rotina ou faz parte dos 31% de brasileiros que não praticam atividade física, colocando o Brasil no segundo lugar do ranking de países mais sedentários, segundo pesquisa realizada em 2021 em 29 países pelo Instituto Ipsos?
- Você troca saúde por boa aparência, fazendo dietas milagrosas ou procedimentos estéticos que cobram um preço alto da sua saúde? O Brasil é líder mundial no ranking de cirurgias plásticas em jovens. De acordo com dados da Sociedade Brasileira de Cirurgia Plástica (SBCP), dos quase 1,5 milhão de procedimentos estéticos

feitos em 2016, 97 mil (6,6%) foram realizados em pessoas com até 18 anos de idade, e o motivo principal era a insatisfação com a própria imagem.

- Você prepara suas refeições?
- Quanto tempo você gasta para se alimentar? Você aciona o piloto automático quando faz isso?
- Qual é a qualidade da sua comida (alimentos criados por Deus ou produtos alimentícios)?
- Onde você come (à mesa ou diante do computador)?
- Como você come (prestando atenção ou navegando nas redes sociais)?
- Quem é sua real companhia (pessoas ou distrações)?
- Você toma água na quantidade adequada?
- Qual é a qualidade da água que você bebe?
- Quantas horas você dorme?
- Qual a mensagem que seu quarto passa: durma ou distraia-se?
- Você pratica o jejum?
- Se sim, com que frequência?
- Como você lida com o estresse do dia a dia, reage com ansiedade ou intensidade?
- Como você organiza sua vida?
- Você é um lago rachado ou um canal de bênçãos?

Jesus não tem as respostas para estas perguntas, Ele é a resposta! "Portanto, como filhos amados de Deus, imitem-no em tudo que fizerem" (Efésios 5:1, NVT).

2

O SEU CORPO É O TEMPLO DO ESPÍRITO SANTO

> **"**Ou vocês não sabem que o corpo é um lugar sagrado, onde mora o Espírito Santo? Vocês percebem que não podem viver de qualquer maneira, desperdiçando algo pelo qual Deus pagou um preço tão alto? A parte física não é mero apêndice da parte espiritual. Tudo pertence a Deus. Portanto, deixem que as pessoas vejam Deus no corpo de vocês e através dele. **"**
>
> 1CORÍNTIOS 6:19-20, A MENSAGEM

Gregg Braden, desenhista de sistemas de computação aeroespaciais e geólogo chefe da Phillips Petroleum, é um cientista conhecido hoje por unir o mundo da ciência e o mundo espiritual. Em seu livro *O código de Deus*, ele apresenta uma fascinante compreensão a respeito da criação. Ao estudar as culturas antigas, Braden percebeu um padrão recorrente nas narrativas sobre a criação do universo: os quatro elementos naturais (fogo, ar, água e terra) eram os elementos constituintes da criação.

No alfabeto hebraico, cada letra tem um valor numérico. Braden, então, identificou o valor numérico da letra hebraica e fez a correspondência com a massa atômica reduzida dos elementos químicos da tabela periódica.

A partir da correspondência entre os elementos naturais, a massa atômica reduzida dos elementos químicos e o valor numérico das letras hebraicas, Braden chegou à seguinte conclusão: fogo seria hidrogênio (o Sol é uma bola de hidrogênio), então a letra hebraica correspondente a hidrogênio seria *yod*; ar seria nitrogênio (73% da atmosfera), e a letra hebraica correspondente seria *he*. Água seria oxigênio (88,39% da água pura), e a letra hebraica correspondente seria *waw* (ou *vav*).

Juntas, essas três letras compõem o nome sagrado de Deus: YHWH ou YHVH (em hebraico *yod*, *he*, *waw*, *he* — no Tetragrama, o *he* aparece duas vezes). Com o acréscimo dos sinais vocálicos, tem-se a transliteração *Yahweh* para o português, que se pronuncia Javé, forma preferível ao nome "Jeová".[1]

Ainda, Deus disse: "Façamos o homem à nossa imagem, conforme a nossa semelhança" (Gênesis 1:26a, ARA), não *igual*, ou seríamos somente espírito, mas *semelhante*, sendo necessário o corpo físico. Terra seria carbono, e a letra hebraica correspondente no caso é *gimel*.

A propósito, esses quatro elementos químicos são os componentes do nosso DNA, que é a estrutura responsável pela transmissão de todas as características genéticas — como cor dos olhos, da pele e do cabelo, fisionomia, entre outras — no processo de reprodução dos seres vivos. Dessa maneira, a principal função do DNA é transportar informações contidas em suas sequências, chamadas de genes. É o nosso banco de dados.

----

[1] O nome "Jeová" é uma junção dos sinais vocálicos da palavra "adonai" (Senhor) com o Tetragrama YHWH. Não se trata, portanto, da verdadeira pronúncia do nome de Deus.

Elementos naturais	Elemento químico do DNA (adenina, citosina, timina, guanina)	Massa atômica reduzida	Código numérico das letras hebraicas	Letras hebraicas
Fogo	Hidrogênio (71% do Sol)	1	1	Y (*yod*)
Ar	Nitrogênio (73% da atmosfera)	5	5	H (*he*)
Água	Oxigênio (88,39% da água pura)	6	6	V (*vav*)
Terra	Carbono (elemento sólido)	3	3	G (*gimel*)

Yod heh vav gimel forma a seguinte expressão em português, que está escrita em nosso DNA, em cada célula do nosso corpo: "Deus eterno dentro do corpo".

Não é por acaso que a Bíblia diz que "todo ser que respira, louve ao Senhor. Aleluia!" (Salmos 150:6, ARA). Em cada célula de nosso corpo está escrito o nome de Deus, assim, toda célula expressa Neemias 1:9b (ACF): "ao lugar que tenho escolhido para ali fazer habitar o meu nome".

Por isso, gratidão é o som dos céus, e o apóstolo Paulo apresenta em 1Tessalonisenses 5:18 a atitude que traz vida e saúde: "Em tudo, dai graças, porque esta é a vontade de Deus em Cristo Jesus para convosco" (ARA). Ao olharmos para Jesus ali, na cruz, testemunhamos um transbordar dessa atitude que nos alcançou e nos permitiu transbordar também. Portanto:

Deus é Deus. Se ele é Deus, é digno da minha adoração e do meu serviço. Não encontrarei descanso em nenhum outro lugar a não ser em sua vontade, e essa vontade é infinita, imensurável e indizivelmente maior que meus conceitos mais abrangentes do que ele pretende.[2]

....
[2] ELLIOT, Elisabeth. *Através dos portais do esplendor*: a história que chocou o mundo, mudou um povo e inspirou uma nação. São Paulo: Vida Nova, 2013, p. 350.

Em um experimento conduzido no HeartMath Institute (EUA), o DNA da placenta humana foi distribuído em 28 amostras. Essas amostras foram então colocadas em tubos de ensaio e disponibilizadas para um mesmo número de investigadores previamente treinados para sentir e expressar durante o processo diferentes sentimentos, incluindo fortes emoções. A experiência, que foi dividida em duas fases, descobriu que o DNA mudou sua forma de acordo com os sentimentos expressos durante a investigação. Na primeira fase, os investigadores sentiram e expressaram raiva, medo ou estresse e, ao observar a resposta do DNA, observou-se um processo de encolhimento, no qual os filamentos tornaram-se mais curtos e muitos códigos se apagaram. Na segunda fase, o material danificado na primeira fase retornou aos tubos de ensaio. Dessa vez, ele foi exposto aos sentimentos de gratidão, amor e estima expressos pelos investigadores. Como resposta a essa exposição, o DNA relaxou seus filamentos, tornando-os mais longos. Além disso, os códigos do DNA se reconectaram e os que estavam apagados foram reescritos.

Ao ler este experimento, imediatamente veio à minha memória Joel 2:25a, ARA: "Restituir-vos-ei os anos que foram consumidos...".

Por isso a Bíblia diz que "a vida e a morte estão no poder da língua; o que bem a utiliza come do seu fruto" (Provérbios 18:21, ARA). Devemos, portanto, ser cuidadosos não só com o que ingerimos, veremos isso no decorrer deste livro, mas também com o que proferimos, pois as emoções e a forma de expressá-las alimentam a alma e, consequentemente, influenciam a nossa saúde.

É comum ouvirmos relatos de pessoas que foram ao médico e após receberem diagnósticos de hipertensão arterial, colesterol alto, diabetes, obesidade, começaram uma dieta, exercícios e uso de medicamentos, mas vieram a sofrer um infarto do miocárdio (IAM) porque continuaram a responder às circunstâncias geradoras de estresse do dia a dia da mesma forma. Vou dedicar alguns capítulos ao estresse crônico e seus efeitos, para que possamos compreender a extensão dos danos causados e como podemos enfrentá-lo.

A Bíblia se refere ao nosso corpo como o templo do Espírito Santo, não à nossa alma ou ao nosso espírito, mas sim ao nosso corpo. Eu, no entanto, não tinha um entendimento claro disso, pois dificilmente ouvimos ministrações sobre esse tema na igreja. Não há uma compreensão correta sobre isso porque a igreja foi firmada sobre uma teologia que privilegia espírito e alma em detrimento do corpo. Essa teologia é baseada em um princípio filosófico da Grécia antiga: a dualidade platônica entre corpo e alma descrita no diálogo do Fédon. De acordo com esse diálogo, o corpo deve ser desprezado, juntamente com seus apetites e desejos tipicamente humanos, pois não é capaz de encontrar a verdade; em vez disso, o corpo busca honrarias, riquezas, prazeres etc. Por outro lado, a verdade que a alma procura só será encontrada quando por meios das virtudes e do desprendimento do corpo.[3]

A partir do primeiro século, na região do Mediterrâneo Oriental, surge um movimento religioso, filosófico e herético, o gnosticismo. Esse termo se origina da palavra grega *gnosis*, que significa "conhecimento". Os gnósticos acreditavam que era possível alcançar a salvação por meio do conhecimento ou gnose, e não por meio da fé, da obediência às leis religiosas ou das boas obras.

As principais crenças do gnosticismo incluem o dualismo, a ênfase na experiência interior, a noção de que o conhecimento é a chave para a salvação e a crença de que existem vários níveis de realidade. O gnosticismo pregava que o mundo havia sido criado por uma divindade imperfeita e que, por isso, a vida na Terra era apenas uma forma maléfica usada para aprisionar o espírito humano, dessa forma o bem só seria alcançável em um nível espiritual.

Porém, segundo os escritos paulinos, não há nada de contraditório entre a vida material e a vida espiritual. Para o apóstolo Paulo, o homem se apresenta como um todo, ou seja, como um ser vivo, criado, constituído

---

[3] PLATÃO. *Diálogos*: O banquete — Fédon — Sofista — Político. São Paulo: Nova Cultural, 1987.

de corpo, alma e espírito (o "fôlego de vida"). Por ser judeu "criado aos pés de Gamaliel, instruído conforme a verdade da lei de nossos pais, zeloso de Deus" (Atos 22:3, ACF), Paulo pensa como um judeu, ou seja, livre de toda dicotomia ou divisão categórica entre o corpo e a alma e o espírito. Essa é a razão pela qual, ao falar da ressurreição dos mortos, ele se refere não somente à alma ressuscitada, mas também a um corpo glorioso.

O Império Romano, sob a égide do imperador Constantino, era perseguidor declarado dos cristãos. No entanto, após se converter ao cristianismo em 313, o próprio Constantino permitiu pelo Édito de Milão o culto dessa religião em todo o Império. Em 391, por ordem do imperador Teodósio I por meio do Édito de Tessalônica, o cristianismo não só se tornou a religião oficial de Roma como todas as outras religiões pagãs passaram a ser perseguidas.

A partir desse fato histórico, a Igreja cristã tornou-se uma instituição poderosa. Em razão disso, certas pessoas buscaram se associar à igreja, pois, naquele contexto, fazer parte dessa instituição religiosa trazia vantagens econômicas, sociais e políticas. Com isso, muitos não se converteram verdadeiramente, apenas faziam parte da igreja. Essas pessoas foram a porta de entrada do pensamento filosófico grego a respeito do corpo na teologia cristã. Essa perspectiva também era dominante na cultura romana e, ao misturar-se ao cristianismo, promoveu distorções na igreja que ainda perduram em nossos dias. Sob a influência dessas distorções, tendemos a considerar importante apenas cuidar do espírito e da alma, em vez de assumir uma postura integral de santidade que envolve o corpo.

O perigo da idolatria

Um pouco antes de ocorrer a *metanoia* em nós, vivi algo interessante. Todos os dias, quando eu chegava em casa, minha esposa me recebia com um copo de refrigerante cheio de gelo e com uma rodela de limão (nesta época eu competia com meu cunhado sobre quem bebia mais refrigerante). Um dia, após um plantão muito estressante e exaustivo, exclamei ao chegar em casa: "Ufa, estou muito estressado! Vou tomar um refrigerante para descarregar um pouco a minha ansiedade!". Abri a garrafa, ouvi o chiado do gás se esvair pela tampa, servi um copo e o tomei. Na mesma hora veio à minha mente 1Pedro 5:7: "Lance sobre Deus a vossa ansiedade, porque Ele tem cuidado de vós".

O Espírito Santo gerou uma pergunta em minha mente: "Em que você acabou de lançar a sua ansiedade?", e instantaneamente aquele líquido começou a queimar em minha garganta. Então respondi: "Eu lancei sobre o refrigerante a minha ansiedade, porque ele tem cuidado de mim".

Eu havia cometido o pecado da idolatria. Um ídolo é tudo aquilo que ocupa o lugar de Jesus. Não importa o que seja, pode uma pessoa, o casamento, a profissão, o sucesso, os bens ou algum objeto, se o coloquei no lugar que pertence somente a Jesus, é idolatria.

> Filho do homem, estes homens levantaram os seus ídolos dentro do seu coração, tropeço para a iniquidade que sempre têm eles diante de si; acaso, permitirei que eles me interroguem? (*Ezequiel 14:3*, ARA).

Timothy Keller, em seu livro *Deuses falsos: As promessas vazias do dinheiro, sexo e poder, e a única esperança que realmente importa*, fez a seguinte reflexão:

> Como nós, os anciãos devem ter respondido à acusação: Ídolos? Que ídolos? Eu não tenho ídolo nenhum. Deus estava dizendo que o coração humano toma coisas boas, como uma carreira profissional bem-sucedida, o amor, os bens materiais e até a família, e as converte em coisas essenciais. Nosso coração as endeusa como o centro de nossa vida, porque, conforme pensamos, elas são capazes de nos dar significado e segurança, proteção e realização, se as alcançarmos.

Como arrancar os ídolos do coração? Existem ídolos de estimação, eles estão tão arraigados que nem percebemos que estão lá, porém são fruto das raízes de iniquidade que carregamos dentro de nós e que moldam nosso comportamento. Precisamos entender que na cruz Jesus nos "desarraigou deste mundo perverso, segundo a vontade de nosso Deus e Pai" (Gálatas 1:4, ARA), libertando-nos do padrão de escravidão e idolatria.

Ao longo da Bíblia, podemos identificar quatro raízes de iniquidade que nos prendem a um padrão e não nos deixam viver a realidade de quem somos em Jesus. Vou discorrer rapidamente sobre cada uma delas, pois esse único assunto daria um livro.

1. Medo

"Elias teve medo e fugiu para salvar a vida" (1Reis 19:3a, NVT).

Não nascemos com medo, nascemos com instinto de sobrevivência, que é um mecanismo de resposta ao estresse criado por Deus para vencer situações de perigo real.

Na Palavra, vemos que "Deus não nos deu o espírito de temor, mas de fortaleza, e de amor, e de moderação" (2Timóteo 1:7, ARA).

O funcionamento do nosso organismo é muito intrigante. Imagine que você está andando na rua e de repente avista um pitbull vindo em sua direção. O que vai acontecer? O seu organismo se prepara, as pupilas dilatam, a frequência cardíaca aumenta, seus músculos ficam tensos, seus pelos ficam eriçados, para que você possa lutar ou fugir. As amígdalas cerebrais correspondem a uma região do cérebro responsável pelos instintos de sobrevivência. Elas desencadeiam todo esse processo ao ativar as glândulas adrenais, que produzem os hormônios do estresse. Agora, imagine que essas amígdalas tenham um interruptor. Sabe o que está acontecendo com o interruptor neste mundo atual, no qual somos movidos por medo? Ele simplesmente não está desligando. A mensagem que está sempre lá, no seu cérebro, é: Perigo! Dessa forma, precisamos constantemente lutar ou fugir.

O SEU CORPO É O TEMPLO DO ESPÍRITO SANTO 51

Deus nos dotou com a capacidade de entrar na fase dois do estresse, que é a fase em que relaxamos. Fomos projetados para lidar com *situações de estresse*; o problema, no entanto, é que, hoje, vivemos *uma vida de estresse*. O que foi criado por Deus criou para ser um mecanismo de proteção agora tornou-se algo prejudicial, pois não está mais de acordo com o padrão estabelecido por Deus. Aprendemos a sentir medo e então passamos a viver de acordo com esse padrão.

No jardim do túmulo, o medo impediu Maria Madalena de reconhecer Jesus, fazendo com que ela o confundisse com um jardineiro:

> Nisso ela se voltou e viu Jesus ali, em pé, mas não o reconheceu. Disse Ele: Mulher, por que está chorando? Quem você está procurando? Pensando que fosse o jardineiro, ela disse: Se o senhor o levou embora, diga-me onde o colocou, e eu o levarei. Jesus lhe disse: "Maria!" Então, voltando-se para ele, Maria exclamou em aramaico: "Rabôni!" (que significa Mestre) (João 20:14-16, NVI).

O medo distorce a visão que temos de nós mesmos, do outro e de Deus, mas Jesus, com seu perfeito amor, lança fora todo o nosso medo (1João 4:18).

2. Ódio

> "[...] E o SENHOR agradou-se de Abel e da sua oferta, mas não de Caim nem da sua oferta. Por isso, Caim ficou enfurecido e o seu rosto mostrava seu ódio " (Gênesis 4:4-5, NBV).

Essa passagem traduz a mensagem que o ódio expressa: "eu não consigo perdoar!".

Na homeopatia, o mecanismo de ação do medicamento homeopático pode ser comparado ao de um antivírus de computador, pois assim como o antivírus combate as informações que prejudicam o desempenho do software, o medicamento homeopático combate os transtornos que afetam o funcionamento do organismo. Existem vários tipos de transtorno: transtorno por choque, por culpa, por decepção, por ciúmes, mas um dos transtornos mais impactantes é a falta de perdão. O medicamento utilizado para tratar esse transtorno é o *natrum*, que nada mais é que o sal. Então, quando Jesus diz: "Vocês são o sal da terra", significa que nós fomos criados para desfazer as estruturas de ódio.

3. Culpa

"Vendo os irmãos de José que seu pai havia morrido, disseram: 'E se José guardar rancor contra nós e resolver retribuir todo o mal que lhe causamos?'" (Gênesis 50:15, NVI).

"Minha culpa me sufoca; é um fardo pesado e insuportável" (Salmos 38:4, NVT).

"Eu não posso ser perdoado", esse era o sentimento que os irmãos de José experimentaram ao serem perdoados por José. A narrativa bíblica nos mostra que, embora eles tenham sido perdoados, não foram capazes de desfrutar o perdão recebido, pois carregavam consigo o peso da culpa.

A passagem que se encontra em Gênesis 50:15 também apresenta um aspecto que merece nossa atenção. A expressão "guardar rancor", que também pode ser traduzida como "raiz de amargura", no hebraico tem um significado com o qual já temos familiaridade: *satan*.

Em nosso cotidiano, o sentimento de culpa aparece em filmes, séries, livros, peças teatrais, programas televisivos, revistas, jornais, mídias sociais como um padrão que move comportamentos e atitudes, determinando toda uma história de vida.

Quantos relatos não ouvimos de pessoas que, mesmo tendo passado pelo Novo Nascimento, acham que não podem viver sem o fardo da culpa e, assim, baseiam suas vidas nela? Na verdade, se considerarmos a percepção que frequentemente temos de Deus, veremos que a maioria de nós ainda age com base na culpa e erroneamente acredita ser necessário fazer algo para que Deus nos ame. Quantas campanhas, propósitos, promessas, jejuns e outras coisas mais fazemos enquanto dizemos: "Vou obedecer para Deus me abençoar"? No entanto, saiba que não é pela nossa obediência que somos amados por Deus, é pela obediência de Jesus, que "achado na forma de homem, humilhou-se a si mesmo, sendo obediente até à morte, e morte de cruz" (Filipenses 2:8, ACF). Pela graça, recebemos a filiação divina, e, como filhos, retribuímos com gratidão.

Muitas vezes nos relacionamos com o Pai acreditando que somos órfãos e precisamos conquistar o seu amor para sermos aceitos em sua casa. Com isso, continuamos vivendo com o peso da culpa, em vez de desfrutarmos o perdão conquistado na cruz por Jesus, que levou não só o fardo da culpa, mas todos os outros que estávamos condenados a carregar.

Quando entendemos que não somos órfãos, mas filhos, podemos tomar a mesma atitude do filho pródigo: tomar o caminho de volta para o Pai:

"[...] Levantar-me-ei, tomarei o caminho de volta para meu pai, e ao chegar lhe confessarei: Pai, pequei contra o céu e contra ti. Não sou mais digno de ser chamado teu filho; trata-me como um dos teus trabalhadores". E, logo em seguida, levantou-se e saiu na direção do pai. Vinha caminhando ele ainda distante, quando seu pai o viu e, pleno de compaixão, correu ao encontro do seu filho, e muito o abraçou e beijou. Então, o filho lhe declarou: "Pai, pequei contra o céu e contra ti. Não sou mais digno de ser chamado teu filho!". Entretanto, o pai ordenou aos seus servos: "Trazei depressa a melhor roupa, vesti-o com distinção, ponde-lhe o anel de autoridade e as sandálias de filho. Também trazei o novilho gordo e o preparai. Comamos, façamos uma grande festa e regozijemo-nos!" (Lucas 15:18-23, KJA).

4. Inferioridade

"Mas, Senhor, como posso libertar Israel?", perguntou Gideão. "Meu clã é o mais fraco de toda a tribo de Manassés, e eu sou o menos importante de minha família!" (Juízes 6:15, NVT).

Podemos dizer que Gideão conviveu com essa raiz de inferioridade e que, como ele, muitos de nós nos escondemos atrás de desculpas e da autocomiseração. Já pensou em quantas situações você já deixou de viver ou não conseguiu realizar alguma coisa por causa dessa raiz? Quantas vezes não comparecemos a um evento ou lugar porque tal pessoa que nos faz sentir inferiorizados estaria lá? Ou, às vezes, algum tipo de bloqueio nos impede de fazer algo e começamos a suar frio e até sentir náuseas, vômitos ou diarreia porque temos de lidar com o seguinte pensamento: "Eu não consigo, o que vão pensar de mim?".

O sentimento de inferioridade faz com que continuemos a pensar da mesma forma a qual estávamos condicionados. Ele funciona na via neural daquela rotina que nos escravizava e nos prendia a um padrão que já não é mais nosso, impedindo que vivamos Filipenses 4:13: "Posso todas as coisas por meio de Cristo, que me dá forças" (NVT).

Precisamos nos libertar dessa "prisão de inferioridade". Essa expressão é um termo associado à psicologia e refere-se a um estado mental no qual uma pessoa se sente persistentemente inferior, inadequada ou de menor valor em relação aos outros. Essa condição pode ser influenciada por vários fatores, como experiências passadas, comparação social constante, críticas excessivas ou baixa autoestima.

Um exemplo de "prisão de inferioridade" pode ser observado em um ambiente de trabalho. Suponhamos que um funcionário tenha uma ideia inovadora para melhorar um processo na empresa. No entanto, devido a uma experiência passada de ser desconsiderado ou ridicularizado por suas sugestões, ele internaliza uma sensação de inferioridade em relação às suas habilidades e contribuições.

O SEU CORPO É O TEMPLO DO ESPÍRITO SANTO 55

Mesmo que sua ideia seja válida e benéfica, a "prisão de inferioridade" pode impedi-lo de expressar suas opiniões ou contribuir de maneira eficaz para a equipe. Ele pode se sentir preso em uma mentalidade que o convence de que suas ideias não têm valor, perpetuando assim a sensação de inferioridade.

A "prisão de inferioridade" pode se manifestar em diversas áreas da vida e ser influenciada por diferentes contextos e experiências pessoais. O tratamento adequado, como a psicoterapia, pode ajudar as pessoas a superarem essas limitações mentais e a desenvolverem uma autoimagem mais saudável e positiva. O problema é que o cérebro não gosta de sair da rotina.

A Palavra de Deus pode remodelar o cérebro a fim de mudar o rumo e libertar a pessoa dessa prisão. Paulo nos lembra desta verdade libertadora: "Bendito seja o Deus e Pai de nosso Senhor Jesus Cristo, que nos abençoou com todas as bênçãos espirituais nas regiões celestiais em Cristo" (Efésios 1:3, NAA), pois nascemos de novo e podemos viver a realidade de quem somos em Cristo Jesus em todas as áreas da nossa vida, como está escrito em Colossenses 3:12-17 (A Mensagem):

Portanto, já que foram escolhidos por Deus para a nova vida de amor, vistam a roupa que Deus preparou para vocês: compaixão, bondade, humildade, autocontrole, disciplina. Sejam moderados, satisfeitos com o segundo lugar, rápidos em perdoar uma ofensa. Perdoem tão rápida e completamente quanto o Senhor os perdoou. E, a despeito do que mais vestirem, revistam-se de amor. O amor é a roupa básica de vocês, para todas as ocasiões. Estejam sempre vestidos com ela. Que a paz de Cristo guarde vocês em sintonia uns com os outros. Nada de sair por aí, fazendo o que quer. Cultivem a gratidão. Que a Palavra de Cristo — a Mensagem — esteja no controle de tudo. Deem a ela todo o espaço da sua vida. Orientem uns aos outros, usando o bom senso. E cantem de coração para Deus! Que tudo na vida de vocês — palavras, ações e tudo o mais — seja feito no nome do Senhor Jesus, com ação de graças a Deus, o Pai, a cada passo do caminho.

Talvez, por muito tempo, tenhamos vivido um cristianismo medíocre. Viver um cristianismo extraordinário significa viver o que a Palavra diz, é ter acesso ao nome de Jesus e, por ser discípulos dele, experimentar a boa, perfeita e agradável vontade de Deus (Romanos 12:2). Não podemos nos contentar com um cristianismo medíocre, mas viver o cristianismo genuíno.

Declare comigo esta verdade:

Na autoridade do nome de Jesus, a qual tenho acesso porque eu nasci de novo e sou filho de Deus, declaro que esses sinais me acompanharão conforme Marcos 16:17-18, porque creio na autoridade do nome de Jesus. Eu expulsarei demônios e falarei novas línguas. Se porventura eu beber alguma coisa mortífera, não sofrerei dano algum. Pegarei em serpentes. Ao impor as minhas mãos sobre os enfermos, eles serão curados. Essa é a minha realidade a partir de hoje. Eu não me conformo com o padrão do mundo, pois desejo o padrão dos céus. Em nome de Jesus, amém.

Por que é importante declarar em voz alta? A Bíblia diz em Marcos 11:23 (ACF): "Porque em verdade vos digo que qualquer que disser a este monte: Ergue-te e lança-te no mar, e não duvidar em seu coração, mas crer que se fará aquilo que diz, tudo o que disser lhe será feito". A Palavra também afirma em Provérbios 18:21 "que a morte e a vida estão no poder da língua", então, se você não declara a realidade liberada pela Palavra esta continua como uma semente. Sendo assim, como ela poderá germinar?

Quando a raiz de inferioridade é arrancada, não importa quanto tempo havíamos permanecido na escravidão, pois através da renovação diária da nossa mente pela Palavra (Romanos 12:2, NVI), somos capacitados a ver e vivenciar a nossa realidade com os olhos da fé!

3

MUDANÇAS SÃO NECESSÁRIAS

"Quanto à antiga maneira de viver, vocês foram ensinados a despir-se do velho homem, que se corrompe por desejos enganosos, a serem renovados no modo de pensar e a revestir-se do novo homem, criado para ser semelhante a Deus em justiça e em santidade provenientes da verdade."

EFÉSIOS 4:22-24, NVI

Mesmo sendo nascidos de novo e tendo a mente de Cristo, muitas vezes insistimos em vestir as roupas da nossa antiga vida, não respondendo ao chamado expresso em Efésios 4:22-24. Por que isso acontece?

Certamente as coisas são assim porque continuamos condicionados a pensar e agir segundo a ótica da árvore do conhecimento do bem e do mal, de modo que, mesmo espiritualmente mortos, podemos fazer coisas boas; e esse é o fundamento para os dois caminhos (autoconhecimento e aperfeiçoamento moral) que o mundo oferece para buscarmos a nossa própria salvação.

Na parábola do filho pródigo, Jesus nos apresenta o caminho do autoconhecimento do filho mais novo (quebrarei todos os padrões morais e religiosos) e o do aperfeiçoamento moral do filho mais velho (cumprirei todos os padrões morais e religiosos), mas nenhum deles é capaz de trazer vida ao nosso espírito.

O Evangelho nos mostra um caminho totalmente diferente, no qual o próprio Deus providencia a salvação, trazendo a vida *zoé* ao nosso espírito, desse modo:

> Uma vez que vocês ressuscitaram para uma nova vida com Cristo, mantenham os olhos fixos nas realidades do alto, onde Cristo está sentado no lugar de honra, à direita de Deus. Pensem nas coisas do alto, e não nas coisas da terra. Pois vocês morreram para esta vida, e agora sua verdadeira vida está escondida com Cristo em Deus (Colossenses 3:1-3, NVT).

Não podemos mais continuar a pensar e agir segundo a árvore do conhecimento do bem e do mal, pois fomos enxertados na árvore da vida!

Na tradução da Bíblia para a língua portuguesa, muitas vezes uma única palavra do português serviu para traduzir diferentes palavras citadas no texto bíblico original. Esse é o caso da palavra "vida". A língua portuguesa possui somente uma palavra para designar os aspectos relacionados à existência, tanto interior como exterior; o grego, por sua vez, que é a língua principal do Novo Testamento, possui três palavras para expressar diferentes aspectos da existência: *bíos*, *Psyché*, *zoé*.

Bíos

A palavra *bíos* está relacionada ao viver; denota a "vida" nas suas manifestações externas e concretas, referindo-se ao "curso da vida", à "duração da vida" ou ao "estilo de vida". Essa palavra raramente aparece no Novo Testamento, ocorrendo apenas 11 vezes e expressando um significado claramente temporal e finito. A vida *bíos* é, portanto, física, temporal, curta e finita, como está escrito em Gênesis 6:3b. Apesar da sua finitude, é ela quem nos coloca em contato com o mundo e pode determinar para a nossa trajetória na Terra um círculo virtuoso (bênção) ou vicioso (maldição). Ao valorizarmos somente essa esfera de nossa vida, passamos a ter uma visão mecanicista, que compara o ser humano a uma máquina, e por conseguinte, achamos que ao trocar determinadas peças tudo estará resolvido. Faço a analogia de um paciente que passou por uma cirurgia (por exemplo, retirou a vesícula) e considerou o problema resolvido, pois os sintomas sumiram, com um carro que acendeu uma luz vermelha no painel, e em vez de o proprietário abrir a tampa do motor, ler o manual e procurar identificar o problema, ele abre a caixa de fusíveis e retira o fusível correspondente à luz vermelha que apareceu no painel. Aparentemente ele resolveu o problema aparente, já que a luz vermelha não aparece mais (sintomas). No entanto, assim como no caso do paciente que apenas teve a vesícula removida, a causa continua lá e sem tratamento adequado.

Psyché

A palavra *Psyché* diz respeito à alma. É uma palavra grega. No Novo Testamento, ela ocorre 101 vezes e significa "sede da vida", referindo-se à vida inteira de alguém. Essa palavra equivale ao ego, à pessoa ou à personalidade do homem. Trata-se de um termo relativo à vida interior do ser humano. Uma expressão muito utilizada atualmente é "inteligência emocional", a forma como respondemos às circunstâncias e, talvez, a partir de vários cursos, tratamentos, programas, tentamos gerenciar melhor nossas emoções. E como podemos utilizar-se da inteligência emocional se vivemos um padrão de estresse crônico que nos coloca no modo de sobrevivência, alterando nossas vias neurais e os nossos estoques de neurotransmissores, além de diminuir a neuroplasticidade (formação de novos neurônios)?

Zoé

A palavra *zoé* não apenas denota a existência, mas também se refere à própria vida de Deus comunicada aos que a receberam em Cristo. Ela não pode ser comprada, negociada ou barganhada. Essa vida é de qualidade superior, ilimitada (pois não é confinada ao tempo histórico) e escatológica, porque nos levará à era futura, à Vida Eterna. Nas palavras de Champlin, é a

> vida derivada de Deus, que se torna possessão daqueles que receberam a vida eterna, a salvação em Cristo. Portanto, essa vida é derivada de Cristo (João 1:4), proporcionada ao crente mediante a fé (Romanos 6:4; 1João 5:12). Ela sobrevive à morte física e entra na eternidade (2Coríntios 5:4; 1Timóteo 1:10). Em contraste com a palavra grega anterior, *bíos*, esta última, usualmente refere-se à vida terrena (ver Lucas 8:14; 1Timóteo 2:2; 2Timóteo 2:4).[1]

Quando Jesus declara em João 10:10 que veio trazer vida abundante, Ele está se referindo à *zoé* abundante, que denota a qualidade da vida interior e exterior semelhante à vida de Deus em nós. Essa vida se estende para além desta existência, alcançando a vida eterna, como o apóstolo Paulo nos mostra em Efésios:

> Deus, porém, é tão rico em misericórdia! Ele nos amou tanto que, embora estivéssemos espiritualmente mortos e condenados pelos nossos pecados, ele nos deu vida [*zoé*] juntamente com Cristo — somente pela sua graça imerecida é que nós fomos salvos. Deus nos ressuscitou com Cristo, e nos assentou com ele nas regiões celestiais e agora Deus pode nos mostrar nas eras vindouras a incomparável riqueza de sua graça, que é revelada em tudo quanto ele fez por nós por intermédio de Jesus Cristo (Efésios 2:4-7, NBV, acréscimo nosso).

Desse modo, a vida *zoé* começa com o ato de recebê-la pela fé na ressurreição de Cristo Jesus e se manifesta diariamente na prática do amor,

----

[1] CHAMPLIN, Russell Norman. *Enciclopédia de Bíblia, Teologia e Filosofia*, 2015. 13 ed. São Paulo: Hagnos, p. 642.

da ética do reino e dos princípios da Palavra de Deus, conforme Colossenses 3:16-17, NVT:

> Que a mensagem a respeito de Cristo, em toda a sua riqueza, preencha a vida de vocês. Ensinem e aconselhem uns aos outros com toda a sabedoria. Cantem a Deus salmos, hinos e cânticos espirituais com o coração agradecido. E tudo que fizerem ou disserem, façam em nome do Senhor Jesus, dando graças a Deus, o Pai, por meio dele.

Guarde o seu coração

Alimentar um sentimento negativo submete o organismo a um padrão de caos. Isso promove uma disautonomia (disfunção) do sistema nervoso autônomo (SNA), que controla todas as funções do organismo que não dependem da nossa vontade. Nesse contexto, a disfunção decorrente do sentimento negativo é avaliada a partir da variabilidade da frequência cardíaca (VFC), considerada o "gatilho do infarto".

O batimento do coração não é monotonamente regular, mas varia de momento a momento, expressando a dinâmica do sistema nervoso autônomo. Ao passar por estresse e emoções negativas, o padrão de variabilidade da frequência cardíaca torna-se desordenado, enviando sinais caóticos para o cérebro. Com isso, o organismo se sente "fora de sincronia". O resultado é estresse excessivo acompanhado de emoções destrutivas, esvaziamento de energia e desgaste mental e físico.

Diante desse quadro de desordem, o coração deixa de bater no ritmo fisiológico, pois perdeu a capacidade de adaptar-se às circunstâncias, e quanto mais tempo essa desordem é mantida, mais danos podem ocorrer ao organismo.

Por outro lado, emoções positivas estão associadas a padrões altamente ordenados da variabilidade da frequência cardíaca, o que resulta na redução do estresse.

Existe um fenômeno da Física chamado *entrainment*, onde um campo magnético maior coloca os outros campos magnéticos menores em sua frequência. Se você for até uma sala cheia de relógios de pêndulo, o relógio com o pêndulo maior dita o ritmo de todos os outros. Esse conceito tem sido estudado com maior profundidade há mais de três décadas para sua aplicabilidade em tratamentos que visam redução do estresse mental, ansiedade, fobias permitindo que o paciente desfrute do estado de bem-estar.[2]

Com os avanços dos conhecimentos na área médica, já é possível determinar que os pensamentos de fato ocorrem no cérebro, porém o livro de Provérbios aponta uma outra perspectiva que merece nossa atenção: "Sobre tudo o que se deve guardar, guarda o coração, porque dele procedem as fontes da vida" (Provérbios 4:23). O coração também é a fonte do corpo de maior força no que diz respeito ao campo eletromagnético, o qual é cinco mil vezes mais forte do que o campo eletromagnético do cérebro.[3]

Um fato interessante sobre o coração é que, na vida intrauterina, ele é formado antes do cérebro. O controle de seus batimentos ocorre a partir da sua própria rede de mais de 40 mil neurônios, igual a muitos centros corticais cerebrais. A energia e a vibração gerada por esses batimentos interagem com as células do nosso corpo desempenhando um papel importante em determinar nossas emoções ou sentimentos.

Na perspectiva bíblica, o coração é uma espécie de "centro de controle" de onde partem as decisões, os sentimentos e os processos de pensamento. Isso significa dizer que esse órgão tão importante é o núcleo que define quem de fato somos, ou seja, a nossa essência.

. . . .

[2] https://www.heartmath.org/research/research-library/basic/head-heart-entrainment-preliminary-survey/. In: *Issues of the Heart: The Neuropsychotherapist Special Issue*, M. Dahlitz, & Hall, G., Editor 2015, Dahlitz Media: Brisbane, p. 76-110. www.neuropsychotherapist.com.

[3] Can Heart Rate Variability Be a BioIndex of Hope? *A Pilot Study Frontiers in Psychiatry*, Vol. 14, 2023. DOI: https://doi.org/10.3389/fpsyt.2023.1119925. HeartBrain Neurodynamics: The Making of Emotions.

A forma como reagimos ao nosso cotidiano e às circunstâncias adversas influencia diretamente o campo magnético do coração; consequentemente, o funcionamento do nosso cérebro também é afetado. Esse fenômeno ocorre devido à predominância das fibras nervosas que transmitem impulsos do coração para o cérebro (fibras aferentes) em relação às fibras que comunicam os impulsos do cérebro para o coração (fibras eferentes). Desse modo, se quisermos ser bem-sucedidos em seguir a instrução paulina de "levar cativo todo pensamento à obediência de Cristo" (2Coríntios 10:5), primeiro devemos guardar o coração (Provérbios 4:23). Proteger o centro dos nossos pensamentos, que é o cérebro, pressupõe cuidar com zelo do coração.

E como proteger o coração dessas influências?

Podemos encontrar essa resposta em Jesus, que é o modelo irrepreensível para todas as coisas. No Evangelho de João, o próprio Jesus faz um alerta a esse respeito: "Tenho-vos dito isto, para que em mim tenhais paz; no mundo tereis aflições, mas tende *bom ânimo*, eu venci o mundo" (João 16:33, ACF, grifo nosso). E o que isso significa? Segundo certo dicionário, a palavra "bom" define o "que age com disposição e coragem; bravo, valente". Já a palavra "ânimo" (que vem do latim *animus*, princípio espiritual da vida intelectual e moral do homem) significa "disposição de espírito; humor". "Bom ânimo", portanto, refere-se a um espírito repleto de confiança.

Jesus nos ensina que devemos olhar para as circunstâncias através da lente do bom ânimo, e não da lente do desânimo!

O hábito de murmurar não é saudável, pois gera um padrão de caos em nosso organismo. Além disso, a murmuração tem o poder de nos afastar de amigos e familiares, e de nos fazer perder oportunidades de formar novos vínculos afetivos em razão de sua negatividade.

Em um estudo publicado em 2014 na revista Stroke, da Associação Americana de Cardiologia, pesquisadores avaliaram níveis de estresse, sintomas depressivos, raiva e hostilidade em mais de 6 mil pessoas entre os 45 e os 84 anos e acompanharam a saúde do grupo pelos anos seguintes. Eles concluíram o seguinte:

Níveis mais altos de estresse, hostilidade e sintomas depressivos estão associados a um risco significativamente aumentado de acidente vascular cerebral ou ataques isquêmicos transitórios em adultos de meia-idade e idosos. As associações não são explicadas por fatores de risco de AVC conhecidos.[4]

Além disso, a murmuração altera a saúde mental, pois aumenta os níveis de cortisol (hormônio do estresse) no organismo. A cada nova murmuração, esses níveis aumentam, causando uma sensação constante de desconforto. Eles também prejudicam a memória, pois afetam o hipocampo (região do cérebro), estimulam pensamentos negativos, já que o cérebro se adapta a esse padrão e cria um círculo vicioso (pensamento negativo gera mais pensamentos negativos) e por fim reduzem o amor-próprio. Murmurar nos torna muito semelhantes àquele personagem pessimista do desenho animado *Lippy e Hardy* que vivia se lamentando com a frase "oh vida, oh céus, oh azar!".

Por outro lado, ao sermos gratos, protegemos nosso coração. Um estudo publicado em 2009 na revista *Circulation*, realizado com quase 100 mil mulheres,[5] mostrou que aquelas que eram gratas sofriam menos incidência de doenças cardiovasculares — 43 casos a cada 10 mil mulheres, contra 60 no grupo das mais pessimistas.

Se não somos gratos, que evangelho iremos pregar? No máximo, transmitiremos religiosidade, impondo um conjunto de regras tipo "faça isso, não faça aquilo". Fomos salvos pela obra de Jesus, portanto, a lei não é um caminho de salvação, mas uma regra de vida que nos conduz a uma comunhão cada vez mais profunda com Deus.

....

[4] EVERSON-ROSE, Susan A. *et al*, Chronic stress, depressive symptoms, anger, hostility, and risk of stroke and transient ischemic attack in the multi-ethnic study of atherosclerosis. *Stroke, s. l.*, v. 45, n. 8, 10 jul. 2014, p. 2318-2323. Doi: https://doi.org/10.1161/STROKEAHA.114.004815. Acesso em: 15 set. 2023.

[5] TINDLE, Hilary A. *et al*. Optimism, Cynical Hostility, and Incident Coronary Heart Disease and Mortality in the Women's Health Initiative. *Circulation, s. l.*, v. 120, n. 8, p. 656-662, 10 aug. 2009. Doi: https://doi.org/10.1161/CIRCULATIONAHA.108.827642.

E quando somos gratos? Nesse caso...

Vocês demonstram que são uma carta de Cristo, resultado do nosso ministério, escrita não com tinta, mas com o Espírito do Deus vivo, não em tábuas de pedra, mas em tábuas de corações humanos (2Coríntios 3:3, NVI).

Que os nossos batimentos cardíacos pulsem na frequência dos céus!

4

ANSIEDADE

"Lançando sobre ele toda a vossa ansiedade, porque ele tem cuidado de vós!**"**

1 PEDRO 5:7, KJA

Não é novidade que, sob certas circunstâncias, nossas emoções são capazes de provocar um infarto do miocárdio, popularmente conhecido como ataque cardíaco.

Uma meta-análise (revisão de estudos) publicada em 2014 afirma que existem, em especial, dois tipos de emoções que aumentam o risco do evento coronariano em até 750% durante duas horas após a ocorrência dessas emoções: *raiva* e *ansiedade*.[1]

De acordo com um estudo de 2015, publicado no *European Heart Journal*, o risco de ataque cardíaco aumenta 8,5 vezes nas duas horas seguintes a intensas emoções de raiva e ansiedade.[2] Na verdade, um ataque de ansiedade pode ser ainda pior, aumentando 9,5 vezes o risco.

[1] MOSTOFSKY, E.; PENNER, E. A.; MITTLEMAN, M. A. Outbursts of anger as a trigger of acute cardiovascular events: a systematic review and meta-analysis. *European Heart Journal*, s. l., v. 35, n. 21, p. 1404-1410, jun. 2014. Doi: 10.1093/eurheartj/ehu033.

[2] BUCKLEY, T. *et al.* Triggering of acute coronary occlusion by episodes of anger. *European Heart Journal*, s. l., v. 4, n. 6, p. 493-498, dez. 2015. Doi: 10.1177/2048872 615568969.

O Dr. Thomas Buckley, autor principal do estudo afirma que:

> Nossos resultados confirmam o que já foi sugerido em estudos anteriores e através de evidência anedótica, mesmo em filmes: os episódios de raiva intensa podem ser um gatilho para um ataque cardíaco. Os dados mostram que o maior risco não é necessariamente quando estamos com raiva, mas até duas horas após o episódio de raiva.[3]

Ao entrevistarem 313 pacientes que haviam sofrido um ataque cardíaco após passarem por emoções intensas, constataram que a raiva intensa desencadeou o evento nesta ordem: discussões com os amigos (42%), discussões com familiares (29%), raiva no trabalho (14%) ou raiva enquanto estão dirigindo (14%). As conclusões do estudo afirmam o aumento do risco de infarto devido à raiva ou ansiedade provavelmente está associado ao aumento da frequência cardíaca e da pressão arterial, ao endurecimento dos vasos sanguíneos e ao aumento de coagulação durante os episódios emocionais.

Em um estudo publicado em 2022 que confirma os achados desses estudos anteriores, os autores chegaram à conclusão que:

> Estudos epidemiológicos mostraram que uma proporção substancial de eventos coronarianos agudos ocorre em indivíduos que não possuem o perfil tradicional de alto risco cardiovascular (CV). O estresse mental é um fator de risco e prognóstico emergente para doença arterial coronariana e acidente vascular cerebral, independentemente dos fatores de risco convencionais. Está associado a um aumento da taxa de eventos cardiovasculares. Estresse mental agudo pode se desenvolver como resultado de raiva, medo ou tensão no trabalho, bem como consequência de terremotos ou furacões. O estresse crônico pode se desenvolver como resultado da exposição ao estresse de

....
[3] Ibidem.

ANSIEDADE 69

longo prazo ou repetitivo, como estresse relacionado ao trabalho, baixo nível socioeconômico, problemas financeiros, depressão e personalidade tipo A e tipo D. Embora a resposta ao estresse mental agudo possa resultar em eventos coronarianos agudos, a relação do estresse crônico com o aumento do risco de doença arterial coronariana (DAC) se deve principalmente à aceleração da aterosclerose... O cérebro traduz o processo cognitivo de estímulos emocionais em alterações hemodinâmicas, neuroendócrinas e imunológicas, chamadas de resposta de luta ou fuga, por meio do sistema nervoso autônomo e do eixo hipotálamo-hipófise-adrenal. Essas alterações podem induzir isquemia miocárdica transitória, definida como isquemia miocárdica induzida por estresse mental (IMMII) em pacientes com e sem obstrução coronariana significativa. As consequências clínicas podem ser angina, infarto do miocárdio, arritmias e disfunção ventricular esquerda.[4]

Os fatores de risco tradicionais para infarto agudo do miocárdio (IAM) são tabagismo, alcoolismo, obesidade e sedentarismo; mas conforme aponta o estudo, alguns aspectos que caracterizam as personalidades tipo A e D também figuram como fatores de risco. A personalidade tipo A caracteriza-se por competitividade, senso de urgência e hostilidade, enquanto a personalidade tipo D caracteriza-se por contenção máxima das emoções negativas e inibição social.

Não é só a ciência que aborda os danos à mente e ao corpo ocasionados por pensamentos negativos. Em relação a esse tema, a Bíblia traz algumas advertências que não devem ser negligenciadas:

Toda amargura, cólera, ira, gritaria e blasfêmia sejam eliminadas do meio de vós, bem como toda a maldade! (Efésios 4:31, KJA).

Assim, meus queridos irmãos, tende estes princípios em mente: Toda pessoa deve estar pronta para ouvir, mas tardio para falar e lento para se irar.

....
4 VANCHERI, F. *et al.* Mental stress and cardiovascular health — Part I. *Journal of Clinical Medicine, s. l.*, v. 11, n. 12, p. 3353. Doi: 10.3390/jcm11123353.

Porque a ira do ser humano não é capaz de produzir a justiça de Deus (Tiago 1:19-20, KJA).

Isso significa que devemos aprender a submeter ao padrão do Senhor cada evento da nossa vida que seja trágico, doloroso, traumático ou, de alguma forma, negativo:

Não se aparte da tua boca o livro desta lei, antes medita nele dia e noite, para que tenhas cuidado de fazer conforme tudo quanto nele está escrito; porque então farás prosperar o teu caminho, e serás bem-sucedido (Josué 1:8, ACF).

Quando nos tornamos praticantes da Palavra de Deus, em vez de apenas ouvintes (Tiago 1:22), deixamos de viver segundo a perspectiva da realidade deste mundo, que é pontual, momentânea, sujeita às nossas emoções e geradora de ansiedade, e passamos a viver segundo a perspectiva do Senhor, que é eterna, imutável, boa, perfeita e agradável. Ele mesmo providenciou ferramentas para o enfrentamento da ansiedade, permitindo que descansemos nele:

As armas que usamos na nossa luta não são do mundo; são armas poderosas de Deus, capazes de destruir fortalezas. E assim destruímos ideias falsas e também todo orgulho humano que não deixa que as pessoas conheçam a Deus. Dominamos todo pensamento humano e fazemos com que ele obedeça a Cristo (2Coríntios 10:4-5, NTLH).

Concluindo, caros irmãos, absolutamente tudo o que for verdadeiro, tudo o que for honesto, tudo o que for justo, tudo o que for puro, tudo o que for amável, tudo o que for de boa fama, se houver algo de excelente ou digno de louvor, nisso pensai (Filipenses 4:8, KJA).

Mas o fruto do Espírito é amor, alegria, paz, paciência, amabilidade, bondade, fidelidade, mansidão e domínio próprio. Contra essas coisas não há lei (Gálatas 5:22, NVI).

ANSIEDADE 71

Reestruturar a mente segundo o padrão do Senhor (mente de Cristo) realiza uma ação direta sobre a saúde, especialmente sobre o coração, que influencia as emoções e todas as células do corpo.

De acordo com a Bíblia, temos um modelo a seguir: Jesus!

Deus sempre soube o que estava fazendo. Ele decidiu, desde o princípio, moldar a vida daqueles que o amam pelos mesmos padrões da vida do Filho. Pois o Filho é o primeiro da fila, na humanidade que ele restaurou. Nele, vemos a vida humana em sua forma original (Romanos 8:29, A Mensagem).

E quando aprendemos com Jesus a administrar o estresse, essa ferramenta poderosa criada por Deus passa a desempenhar adequadamente o papel designado por Deus de nos proteger, e não nos destruir.

Para começar, precisamos diferenciar estresse fisiológico do estresse crônico. O estresse fisiológico nos ajuda a superar situações de perigo real por meio de mecanismos como a resposta de luta ou fuga, o sistema nervoso autônomo simpático e o eixo hipotálamo-hipófise-adrenal. Como exemplo, considere uma situação em que você está dirigindo, e um carro, vindo em direção contrária, entra em sua pista. Automaticamente você reage gerando uma resposta tipo "lutar ou fugir". Além disso, do sistema nervoso autônomo simpático, as amígdalas cerebrais (sede dos instintos de sobrevivência) enviam um sinal de perigo e as glândulas adrenais liberam os hormônios do estresse como adrenalina, noradrenalina e cortisol. Esses hormônios estimulam o corpo a agir em situações de emergência, fazendo com que o coração bata mais rápido e mais forte, os músculos se contraiam, a pressão sanguínea aumente, as pupilas se dilatem. Com isso, a respiração acelera pela dilatação dos brônquios, os pelos se eriçam, surge uma sensação de frio na barriga e os sentidos se tornem mais aguçados. Essas mudanças físicas aumentam a força e resistência, aceleram o tempo de reação e aumentam o foco — preparando-o para lutar ou fugir do perigo iminente.

Após o perigo passar, o sistema nervoso autônomo parassimpático é acionado, e sua função é trazer o organismo novamente à normalidade, conhecida como resposta "descansar e digerir". O organismo volta a reservar energia, diminuindo a frequência e a força de contração do coração, reduzindo a atividade metabólica e relaxando os músculos. Além disso, a atividade do sistema digestivo aumenta, produzindo mais secreções biliares e pancreáticas para facilitar a digestão. Os brônquios pulmonares diminuem de diâmetro pela menor demanda de oxigênio, e podemos expressar alívio com um "ufa, passou o perigo!". As pupilas se contraem novamente, e a visão é preparada para um alcance mais próximo. É a resposta necessária para um momento de descanso e alimentação.

Agora, no painel de instrumentos de um carro, considere o conta-giros um medidor do estresse (veja abaixo o "estressômetro" publicado no *The Wall Street Journal*, que foi adaptado aqui neste livro).[5] Se ele estiver operando na faixa recomendada pelo manual de instrução, a durabilidade e a vida útil do veículo será muito maior. Porém, se o condutor optar por dirigir sempre com o pé no fundo do acelerador, é claro que além de correr maior perigo de acidentes, a vida útil do carro será reduzida.

---

[5] Disponível em: https://www.wsj.com/articles/SB10001424052970203718504577180771093643212. Acesso em: 15/12/2023.

O estresse fisiológico, portanto, é uma ferramenta de poder que nos auxilia a vencer as situações de perigo real. Por outro lado, se o estresse passa a ser para nós um estilo de vida, em vez de nos beneficiar, ele causará danos significativos ao nosso organismo e à nossa saúde. Nesse caso, o vantajoso estresse fisiológico terá se tornado o prejudicial estresse crônico.

Diferentemente do estresse fisiológico, que é acionado apenas em situações específicas e momentâneas, o estresse crônico submete o organismo a um constante modo de sobrevivência. Ao fazer uma analogia entre o estresse crônico e o medidor de óleo do motor, podemos dividi-lo em quatro fases:

1. Alerta: a adrenalina e a noradrenalina estão em níveis suprafisiológicos (ou seja, acima do nível esperado).
2. Resistência: o cortisol, a adrenalina e a noradrenalina estão em níveis suprafisiológicos.
3. Quase-exaustão: a adrenalina e a noradrenalina em níveis subfisiológicos (ou seja, abaixo do esperado).
4. Exaustão: o cortisol também entra em níveis subfisiológicos.

Quando os hormônios de estresse como cortisol, adrenalina, noradrenalina se mantêm em níveis elevados, eles alteram os circuitos cerebrais.

Por exemplo, há o bloqueio da substância GDNF (fator de crescimento de neurônios), que mantém a neuroplasticidade (capacidade de regeneração e adaptação dos neurônios), com a consequente diminuição da capacidade cognitiva e da memória.

Os níveis de neurotransmissores também são afetados, como a serotonina (relacionada ao sono, ao humor, ao apetite), a dopamina (relacionada à autoestima, ao prazer de viver, à recompensa, à memória, à concentração e à libido) e o ácido gama-aminobutírico (conhecido pela sigla inglesa GABA; coloca o cérebro em estado Alfa, gerando um padrão de relaxamento e calma). Com essa desordem hormonal, o organismo torna-se propício para alterações em várias áreas como:

- *Humor e emoções* — perda da confiança, ansiedade, irritabilidade (pavio curto), depressão, apatia, alienação, medo.
- *Comportamento* — propensão a acidentes, perda de apetite, desinteresse sexual (libido baixa ou ausente), vícios (alcoolismo, tabagismo, pornografia), inquietude.
- *Mente e cognição* — preocupação, raciocínio confuso, má avaliação, indecisão, negatividade, decisões apressadas, esquecimento, dificuldade de concentração.
- *Qualidade do sono* — pensamento acelerado e mente sempre alerta, contribuindo para o surgimento do quadro de insônia, que pode ser primária ("eu não consigo pegar no sono") ou secundária ("eu até durmo, mas acordo no meio da madrugada e não consigo mais dormir").
- *Distúrbios alimentares* — ocorrem quando o organismo está constantemente em modo de alerta (amígdalas cerebrais permanecem ativadas) e, como resultado, há uma disposição dos organismos em armazenar energia no tecido adiposo. Somado à influência da publicidade, isso leva à preferência por alimentos ricos em carboidratos e gorduras, como fast-food (pizza, massas, hambúrgueres, doces, frituras), para obtenção de energia imediata.

Não é somente na parte neurológica que o estresse crônico faz estragos. Imagine peças de dominó colocadas em sequência, formando uma linha; nessa analogia, os hormônios do estresse são representados pelo primeiro dominó e, ao cair por causa do desequilíbrio, derrubam todas as outras peças. A partir dessa perspectiva, podemos relacionar as outras peças aos outros órgãos e sistemas afetados pelo estresse crônico:

- *Pele e fâneros (cabelos, unhas)* — acne, alopecia areata, dermatite seborreica, envelhecimento precoce, prurigo (coceira repetitiva que gera arranhões), onicomicoses (micoses na unha), dermatomicoses (micoses na pele).
- *Aparelho locomotor* — *trigger points* (os populares "nozinhos no músculo" que causam dor local de modo espontâneo ou quando pressionados), fibromialgia, disfunção temporomandibular (som de cliques ou estalos ao abrir e fechar a boca, dificuldade para abrir a boca, edema facial, enxaquecas, dores intensas próximo aos músculos da mastigação e da articulação temporomandibular), predisposição a osteoartrose e artrites, sarcopenia (perda de massa muscular).
- *Sistema digestivo* — aftas, halitose (mau hálito), gengivite, refluxo gastroesofágico (DRGE), esofagite, gastrite, dispepsia (má digestão), úlcera gástrica, úlcera duodenal, síndrome do cólon irritável (SCI), intolerância alimentar, disbiose intestinal (flora bacteriana intestinal alterada), colite (inflamação intestinal).
- *Aparelho urinário* — infecções urinárias de repetição, vulvovaginites (corrimento vaginal),
- *Sistema endócrino* — fadiga adrenal, hipotireoidismo, tireoidite (doença autoimune da tireoide), resistência insulínica, somatopausa precoce (queda acelerada do nível do hormônio de crescimento, responsável pelo mecanismo de regeneração de tecidos e órgãos), obesidade.
- *Aparelho respiratório* — sinusite, rinite, faringite, bronquite ou asma, respiração superficial.

- *Sistema imune* — doenças alérgicas, doenças autoimunes (psoríase, vitiligo, lúpus etc.), doenças infecciosas (herpes labial ou zoster, candidíase etc.)
- *Sistema cardiovascular* — hipertensão arterial, arritmias, infarto agudo do miocárdio (IAM), acidente vascular cerebral (AVC, popularmente conhecido como "derrame"), disautonomia (taquicardia, dor torácica, "aperto no peito", angústia, falta de ar, sensação de morte.
- *Aparelho reprodutor* — síndrome de ovários policísticos (SOPCs), tensão pré-menstrual (TPM), irregularidade menstrual, libido baixa (queda do desejo sexual), disfunção erétil (impotência), infertilidade, vaginismo (dor intensa durante o ato sexual na penetração).
- *Sistema nervoso* — crises de pânico, síndrome do pânico, transtorno de ansiedade generalizada (TAG), transtorno depressivo-ansioso, transtorno de déficit de atenção (TDA), insônia primária, insônia secundária, apneia do sono, enxaqueca, cefaleia tensional (dor de cabeça nervosa), vertigem, zumbido, labirintite, cinetose (náuseas e vômitos causados pela movimentação durante viagens em veículos), distúrbios de memória e concentração, formigamento em membros.

Limitar o tratamento somente aos sintomas é como ficar o tempo todo tentando levantar as peças caídas do dominó sem levar em conta a primeira peça, que é a causa do efeito dominó.

Por onde começar?

Um dos aspectos marcantes da Bíblia é o fato de encontrarmos nela personagens que, mesmo tendo experiências profundas com Deus, enfrentavam situações que expunham suas fragilidades. Assim como eles experimentaram o tratamento que o Senhor providenciou, nós também podemos experimentá-lo, porque "Jesus Cristo é o mesmo, ontem, e hoje, e eternamente" (Hebreus 13:8, ACF).

ANSIEDADE 77

A passagem de 1Reis 19:1-8 (NVT) demonstra exatamente o que o estresse crônico pode causar em nossa saúde física e emocional:

Acabe contou a Jezabel tudo que Elias havia feito, incluindo o modo como havia matado todos os profetas de Baal. Por isso, Jezabel enviou esta mensagem a Elias: "Que os deuses me castiguem severamente se, até amanhã nesta hora, eu não fizer a você o que você fez aos profetas de Baal!". *Elias teve medo e fugiu para salvar a vida* [medo e estado de alerta constantes]. Foi para Berseba, uma cidade em Judá, e ali deixou seu servo. *Depois, foi sozinho para o deserto* [solidão], caminhando o dia todo. Sentou-se debaixo de um pé de giesta e *orou, pedindo para morrer* [depressão]. "Já basta, Senhor", disse ele. "Tira minha vida, pois não sou melhor que meus antepassados que já morreram." Então ele se deitou debaixo do pé de giesta e dormiu. Enquanto dormia, um anjo o tocou e disse: "Levante-se e coma!". Elias olhou em redor e viu, perto de sua cabeça, um pão assado sobre pedras quentes e um jarro de água. *Ele comeu, bebeu e se deitou novamente* [desânimo e cansaço]. O anjo do Senhor voltou, tocou-o mais uma vez e disse: *"Levante-se e coma um pouco mais, do contrário não aguentará a viagem que tem pela frente"*. Elias se levantou, comeu e bebeu, e o alimento lhe deu forças para uma jornada de quarenta dias e quarenta noites até o monte Sinai, o monte de Deus.[6]

Podemos destacar alguns pontos. Elias havia enfrentado e vencido os 450 profetas de Baal e os 400 profetas de Aserá, chegando ao ápice de seu ministério, pois o povo de Israel respondeu à mensagem e converteu-se ao Senhor. A Bíblia diz que "Elias era homem semelhante a nós, sujeito aos mesmos sentimentos, e orou com fervor para que não chovesse sobre a terra, e, por três anos e seis meses, não choveu" (Tiago 5:17, NAA). Podemos imaginar o nível de estresse ao qual ele estava sendo submetido, pois teve medo e fugiu. Mas o questionamento a ser feito é

. . . .
[6] Itálicos e colchetes nossos.

como alguém que viveu, como Moisés, os milagres mais "hollywoodia-nos" do Antigo Testamento, poderia ter medo de uma palavra ou decreto proferido por quem quer que fosse?

Conforme as fases dos estresse que apontamos anteriormente e com base nos sintomas descritos no texto bíblico, podemos afirmar que Elias estava na fase quatro do estresse crônico (exaustão): "'Já basta, Senhor', disse ele. 'Tira minha vida, pois não sou melhor que meus antepassados que já morreram'" (1Reis 19:4, NVT).

Já ouvi algumas mensagens afirmando que Elias era alguém depres-sivo, por isso chegou ao ponto de pedir a morte. No entanto, podemos dizer que ele estava (e não era) depressivo, pois atualmente o conceito de transtornos depressivos engloba uma visão orgânico-psíquica mais abran-gente, a partir da qual também são analisadas as alterações bioquímicas e fisiológicas que contribuíram para o acionamento de gatilhos emocio-nais (luto, perda de emprego, divórcio, eventos traumáticos como assalto, assassinato, ameaças, acidentes, doenças etc.).

O termo utilizado atualmente para essa fase de estresse crônico (exaustão) é *síndrome de burnout* (SB). A palavra *burnout* tem origem da língua inglesa e pode ser traduzida como "queima completa". Essa sín-drome se caracteriza por três pilares:[7]

1. *Exaustão emocional* — ocorre quando o indivíduo percebe não pos-suir mais condições de despender a energia que o seu trabalho requer. Algumas das causas apontadas para a exaustão são a so-brecarga de atividades, o conflito pessoal nas relações, entre outras.
2. *Despersonalização* — é considerada uma dimensão típica da SB e um elemento que distingue essa síndrome do estresse. Originalmente apresenta-se como uma maneira do profissional se defender da carga emocional derivada do contato direto com

....
[7] PÊGO, F. P. L. e; PÊGO, D. R. Síndrome de burnout. *Revista Brasileira de Medicina do Trabalho, s. l.*, v. 14, n. 2, 2016.

o outro. Devido a isso, desencadeiam-se atitudes insensíveis em relação às pessoas nas funções que desempenham; ou seja, o indivíduo cria uma barreira para impedir a influência de problemas e sofrimentos alheios em sua vida. O profissional em estado de *burnout* costuma agir com cinismo, rigidez ou até mesmo ignora o sentimento da outra pessoa.

3. *Realização profissional reduzida* — diz respeito à sensação de insatisfação que a pessoa passa a ter com ela própria e com a execução de seus trabalhos. Daí derivam sentimentos de incompetência e baixa autoestima.

Ao relacionarmos o texto bíblico com os pilares descritos, vemos que o ministério de Elias foi conduzido de uma forma que o levou à síndrome *burnout*, pois no versículo 3 é possível notar que ele apresentava um quadro de:

1. Exaustão emocional — "Elias teve medo e fugiu para salvar sua vida".
2. Despersonalização — "Foi para Berseba, uma cidade em Judá, e ali deixou seu servo. Depois, foi sozinho para o deserto, caminhando o dia todo".
3. Realização profissional reduzida — "Sentou-se debaixo de um pé de giesta e orou, pedindo para morrer. 'Já basta, Senhor', disse ele. 'Tira minha vida, pois não sou melhor que meus antepassados que já morreram'".

Eu sempre gosto de associar exemplos práticos aos conceitos que quero fixar, e quando eu penso no *burnout*, vem à minha mente a imagem de um palito de fósforo queimado. Em nossa sociedade atual, profissões que lidam diretamente com o público são as mais suscetíveis a um quadro de *burnout*, por exemplo, médicos, enfermeiras, policiais, bombeiros, atendentes de telemarketing, professores, pastores, padres etc.

O *burnout* também causa sofrimentos em indivíduos que realizam um trabalho tido como monótono e rotineiro. O problema aparece principalmente quando a pessoa para de valorizar seu próprio trabalho, ou quando as pessoas em volta consideram essas tarefas como algo inferior, desvalorizando-as.

Qual foi a estratégia terapêutica que o Deus que cura utilizou no caso de Elias?

O foco do tratamento naquele momento foi a restauração do corpo, diferentemente do que estamos acostumados como cristãos, pois nos condicionamos a direcionar nossos olhos somente para nossa alma e nosso espírito, negligenciando o cuidado com o templo do Espírito. Infelizmente, temos encarado muitas adversidades em nossa saúde como ação demoníaca. Uma frase que costumo falar em minhas ministrações é: "Não é demônio, é falta de hormônio!".

As glândulas adrenais de Elias estavam submetidas a uma sobrecarga funcional, como um carro acelerando a uma rotação de 7.000 RPM, gerando os sintomas de estresse e *burnout*, o que fez com que Elias desejasse a morte.

Na posição de Médico dos médicos, o Senhor nos dá estratégias específicas para nosso espírito, nossa alma e nosso corpo.

Os três pilares necessários para iniciar o processo de restauração do corpo são encontrados em 1Reis 19:6 (grifo nosso): "Ele *comeu, bebeu* e *se deitou* novamente".

Comer — atitude que quebra o paradigma de fraqueza física produzida pela desnutrição, dando condições para que processos bioquímicos que estavam paralisados por falta de energia sejam retomados e promovam a cura.

Com base nos relatos encontrados nos pergaminhos do Mar Morto, escritos pelos essênios (vários relatos sobre o dia a dia deles e até mesmo o registro da receita do pão dos essênios), podemos concluir que o pão consumido naquela época era diferente do nosso, pois as sementes do trigo eram integrais, moídas diariamente. Além disso, devido às condições

ANSIEDADE 81

de armazenamento, o trigo utilizado já havia germinado, o que levava a uma baixa concentração de glúten, pois essa é a proteína necessária para que o processo de germinação ocorra. Assim como o maná servido ao povo de Israel, o pão oferecido a Elias foi preparado nos céus, então podemos imaginar o potencial nutricional e energético contido nele, que possibilitou a Elias caminhar por 40 dias e 40 noites.

Beber — ao caminhar pelo deserto, Elias submete seu organismo já debilitado a um processo de desidratação e distúrbios hidroeletrolíticos. Ao obedecer e tomar água, seu organismo restaura os níveis normais de água e sais minerais.

Dormir — essa é uma atitude necessária para a reparação dos tecidos e do sistema imune, a reorganização da memória e a produção de hormônios.

Devido ao papel fundamental que exerceram como agentes terapêuticos utilizados por Deus no processo de cura de Elias, irei falar sobre alimentação, água e sono em capítulos específicos. No entanto, já quero deixar aqui dicas práticas para reaver o status de normalidade das glândulas adrenais:

1. Coma alimentos de alta qualidade, ou seja, os alimentos integrais e naturais que foram criados por Deus.
2. Combine uma gordura, proteína (animal ou vegetal) e carboidratos em cada refeição. Coma cereais integrais, principalmente como fontes de carboidratos ricos em amido.
3. Coma vegetais, deixando seu prato o mais colorido possível.
4. Use sal integral (não cloreto de sódio), para proporcionar à comida um sabor agradável e normalizar o equilíbrio hidroeletrolítico do organismo e a aldosterona, hormônio que modula a pressão arterial.
5. Aumente a ingestão de água. Uma sugestão para facilitar o consumo é misturar 1 colher de café de sal integral para cada 1 litro de água e tomá-lo durante o dia.

6. Evite frutas e sucos pela manhã, pois são alimentos ricos em potássio (especialmente banana, abacate e figos secos), o que piora a fadiga adrenal. Nesse quadro, o sódio normalmente encontra-se baixo gerando hipotensão (pressão baixa). Além disso, algumas frutas contêm uma quantidade significativa de frutose (açúcar da fruta), o que pode piorar o quadro de resistência insulínica.

7. Misture 1-2 colheres de azeite de oliva extravirgem em grãos, legumes e saladas diariamente. Em um estudo publicado em 2022, cientistas observaram uma forte associação entre consumo de azeite e menor risco de mortalidade cardiovascular, câncer e todas as causas.[8]

Uma outra sugestão é usar o "Mix Budwig", criado pela Dra. Johanna Budwig:

- 1 colher chá óleo de linhaça + 2 colheres chá óleo de coco.
- 1/2 a 1 xícara queijo ricota pobre em gordura (*low fat).*
- Bater os ingredientes no mix ou liquidificador.
- Utilizar de 3 a 4 colheres de sopa ao dia.

Dois exemplos no Novo Testamento nos mostram o cuidado do Deus com o templo do Espírito Santo. Paulo, como judeu, entendia que o espírito, a alma e o corpo formavam uma unidade. No entanto, dois de seus discípulos, Epafrodito e Timóteo, não vivenciaram esta realidade e experimentaram consequências drásticas em sua saúde.

Epafrodito era grego e, mesmo tendo experimentado o Novo Nascimento, possuía uma mente ainda imbuída do pensamento corrente na filosofia grega, o dualismo platônico (espírito é bom, matéria é ruim,

....
[8] TORRES-COLLADO, L. *et al.* (2022). Olive oil consumption and all-cause, cardiovascular and cancer mortality in an adult mediterranean population in Spain. *Frontiers in Nutrition, s. l.,* v. 9, ago. 2022. Doi: 10.3389/fnut.2022.997975.

então destrua a matéria), levando-o ao ponto de quase abreviar sua vida e ministério:

> De fato, ele esteve gravemente enfermo, à beira da morte; mas Deus se compadeceu dele, e não apenas dele, mas igualmente do meu coração, para que eu não fosse afligido por tristeza sobre tristeza. Por isso, o enviarei a vós com mais urgência, a fim de que possais vos alegrar ao vê-lo novamente, e, com isso eu sinta menos tristeza. Recebei-o, portanto, no Senhor, com grande alegria, e sempre honrai pessoas como ele; porquanto, ele chegou às portas da morte por amor à causa de Cristo, arriscando a própria vida para suprir a cooperação que vós não pudestes me conceder (Filipenses 2:27-30, KJA).

Timóteo, filho de uma mãe judia e um pai grego, também mantinha a mente condicionada ao paradigma filosófico grego. Paulo, em I Coríntios 16:10-11 (NAA), dá-nos o relato de alguém que havia sofrido um quadro de fobia social.

> E, se Timóteo for, façam tudo para que não tenha nada a temer enquanto estiver entre vocês, porque trabalha na obra do Senhor, como também eu. Portanto, que ninguém o despreze. Ajudem-no a continuar a viagem em paz, para que venha até aqui, visto que o espero com os irmãos.

Em 1Timóteo 5:23 (ACF) o apóstolo Paulo fala ainda sobre o quadro de gastrite nervosa com a qual Timóteo convivia: "Não bebas mais água só, mas usa de um pouco de vinho, por causa do teu estômago e das tuas frequentes enfermidades".

Como conclusão óbvia, os três exemplos citados colheram consequências em sua saúde porque eles haviam experimentado um desequilíbrio entre o espírito, a alma e o corpo).

O tratamento não acontece da noite para o dia. Quando olhamos mais atentamente o texto relativo ao quadro de enfermidade apresentado por Elias, podemos notar que um padrão para a recuperação foi estabelecido, uma mudança no estilo de vida, e não somente uma atitude isolada, pois o anjo ordena que Elias repita o ato de comer, beber e dormir (1Reis 19:6).

Como Jesus agia em relação ao estresse? Como ele tratava o estresse? Ao estudarmos os Evangelhos, percebemos um padrão interessante: "Jesus não vivia com ansiedade, Ele vivia com intensidade". Ele *respondia* às circunstâncias que se apresentavam no momento com foco (prestava atenção) e depois se dedicava à próxima circunstância. É um conceito descrito pelo Dr. Herbert Benson, da Harvard School of Medicine, sobre prestar atenção, que nos remete ao texto de Mateus 6:34: "Portanto, não se preocupem com o dia de amanhã, pois o amanhã trará os seus cuidados; basta ao dia o seu próprio mal". O episódio de ira de Jesus na ocasião em que os comerciantes faziam negócio no templo tem muito a nos ensinar e certamente serve para ilustrar a orientação de Paulo em Efésios 4:26: "Irai-vos, e não pequeis; não se ponha o sol sobre a vossa ira".

E Jesus entrou em Jerusalém, no templo. E, tendo observado tudo, como já era tarde, saiu para Betânia com os doze. No dia seguinte, quando saíram de Betânia, Jesus teve fome. E, vendo de longe uma figueira com folhas, foi ver se nela acharia alguma coisa. Aproximando-se dela, nada achou, a não ser folhas; porque não era tempo de figos. Então Jesus disse à figueira: "Nunca mais alguém coma dos seus frutos!" E os discípulos de Jesus ouviram isto. E foram para Jerusalém. Quando Jesus entrou no templo, começou a expulsar os que ali vendiam e compravam. Derrubou as mesas dos cambistas e as cadeiras dos que vendiam pombas, e não permitia que alguém atravessasse o templo carregando algum objeto. Também os ensinava e dizia: "Não é isso que está escrito: 'A minha casa será chamada 'Casa de Oração' para todas as nações'? Mas vocês fizeram dela um covil de salteadores" (Marcos 11:11-17).

No dia anterior, Jesus havia visitado o templo, envolvendo-se em conversas, ensinando o povo e observando a rotina daquele lugar que,

ANSIEDADE 85

originalmente destinado à adoração, havia se convertido em um mercado. Jesus então volta para Betânia, confecciona o azorrague (João 2:15) e retorna ao templo no dia seguinte. Bastante irado, enquanto derrubava coisas, não agredia as pessoas física ou verbalmente, pelo contrário, Ele as ensinava!

A atitude de Jesus foi muito diferente da atitude que tomamos quando nos sentimos ameaçados. Em vez de *responder* às circunstâncias, costumamos *reagir* a elas devido à manutenção de um círculo vicioso de ativação dos mecanismos de luta ou fuga alimentados por um padrão de medo.

O estilo de vida de Jesus foi tão impactante na vida do apóstolo João, que ele passou a replicar esse padrão de resposta ao estresse. O texto em Marcos 3:17 (NVT), "Tiago e João, filhos de Zebedeu, aos quais deu o nome de Boanerges, que significa 'filhos do trovão'", mostra alguém que reagia em vez de responder ao estresse:

> E enviou mensageiros que o antecedesses. Indo eles, entraram numa aldeia de samaritanos para lhe preparar pousada. Mas não o receberam, porque o aspecto dele era de quem, decisivamente, ia para Jerusalém. Vendo isto, os discípulos Tiago e João perguntaram: Senhor, queres que mandemos descer fogo do céu para os consumir? Jesus, porém, voltando-se os repreendeu [e disse: Vós não sabeis de que espírito sois]. [Pois o Filho do Homem não veio para destruir as almas dos homens, mas para salvá-las.] E seguiram para outra aldeia (Lucas 9:52-56, ARA).

Se, no entanto, compararmos o apóstolo João aos personagens dos exemplos anteriores (Elias, Epafrodito e Timóteo), podemos observar nele um comportamento radicalmente diferente em relação ao estresse. João desarmou todos os gatilhos que o conduziriam a um cenário propício ao surgimento de doenças, e isso permitiu que ele cumprisse todo o propósito que o Senhor havia designado para o seu ministério. Os relatos históricos apontam que João faleceu em Éfeso aos 94 anos, gozando de suas plenas faculdades mentais, pois os seus livros (o Evangelho, as três cartas e o livro de Apocalipse) foram escritos entre 90-95 da Era Cristã.

Tendo em vista que o estresse é uma reação alimentada pelo medo, João nos ensina como deixar de alimentá-lo: "Esse amor não tem medo, pois o perfeito amor afasta todo medo. Se temos medo, é porque tememos o castigo, e isso mostra que ainda não experimentamos plenamente o amor" (1João 4.18, NVT).

João era diferente até na forma de tratar as pessoas. Em vez de "queres que mandemos que desça fogo do céu e para os consumir?" (Lucas 9:54), ele usa: "Meus filhinhos, não amemos de palavra nem de língua, mas por obra e em verdade" (1João 3:18, AEC). A maneira como nos comunicamos pode agravar ou acalmar o ambiente de estresse: "A resposta gentil desvia o furor, mas a palavra ríspida desperta a ira" (Provérbios 15:1, NVT).

Durante seu longo ministério, João certamente enfrentou situações ansiogênicas (geradoras de ansiedade), como perseguições, desavenças entre irmãos, luta contra heresias. Mas a Palavra habitava ricamente nele (Colossenses 3:16), e diante desses desafios que poderiam levá-lo a reagir às circunstâncias de uma forma adoecedora, suponho que ele respirasse fundo, propondo-se desarmar qualquer gatilho de ansiedade:

"Aquietem-se e saibam que eu sou Deus; sou exaltado entre as nações, sou exaltado na terra" (Salmos 46:10, NAA).

"Lancem sobre Ele todas as suas ansiedades, porque Ele cuida de vocês" (1Pedro 5:7, NAA).

Você já deve ter ouvido as pessoas mais velhas dizendo: "Respire fundo, dê uma volta no quarteirão, pense antes de falar, passe um zíper na boca" e tantas outras expressões e ditados populares no intuito de ajudar as pessoas a se acalmarem diante de uma situação de estresse e ansiedade.

ANSIEDADE 87

Na realidade eles estavam corretos. Um estudo recente apontou que a prática da respiração diafragmática reduz em 73% a ansiedade e em 68% o estresse.[9]

Existem muitas técnicas de respiração diafragmática, mas a base dessa respiração é inalar o ar pelo nariz e expirar pela boca. Veja o passo a passo:

1. Sente-se em uma posição confortável ou, se preferir, deite-se.
2. Relaxe os ombros.
3. Coloque uma mão sobre o peito e a outra sobre o estômago.
4. Inspire pelo nariz, contando mentalmente até dois, e sinta o ar passando até sentir o seu estômago expandir.
5. Solte o ar devagar pela boca, contando até dois lentamente.
6. Repita o passo a passo várias vezes.

Respirar fundo, mudar o foco, não falar impulsivamente e praticar atividade física são técnicas que ajudam a desarmar o gatilho de estresse. Também encontramos em alguns salmos davídicos um padrão de comportamento a ser adotado diante da ansiedade. Davi enfatiza: "Por que estás abatida, ó minha alma? Por que te perturbas dentro de mim? *Espera em Deus*, pois ainda o louvarei, a ele, meu auxílio e Deus meu" (Salmos 42:5,11; 43:5, ARA, grifo nosso). Vemos um exemplo prático dessa orientação na passagem em que Jairo, chefe da sinagoga, vai até Jesus para que sua filha de 12 anos que está à beira da morte seja curada. No meio do caminho, uma mulher com um fluxo de sangue há 12 anos, uma doença crônica, toca em Jesus e é instantaneamente curada. Quando isso acontece, Jesus fala para ela: "Quem é que me tocou? [...] porque bem conheci que de mim saiu poder" (Lucas 8:45-46). Um parêntese: como médico, se eu agisse como Jesus, seria processado por ser negligente em

....
[9] PEPER, E. *et al*. Reduce anxiety. *NeuroRegulation, s. l.*, v. 9, n. 2, p. 91—97, 2022. Doi: *https://doi.org/10.15540/nr.9.2.91*.

relação à paciente que estava em uma emergência médica e priorizar o atendimento de uma paciente com uma condição crônica.

Jesus, no entanto, age sempre conforme o tempo *kairós* (tempo de Deus), e não segundo tempo *chronos* (tempo passageiro, sequencial e cronológico). Ele não segue uma agenda, mas age de acordo com um propósito.

Imagine Jairo observando tudo aquilo. O tempo cronológico (*chronos*) era tão precioso para ele naquele momento, sua alma estava aflita, mas Jesus, naquele momento, tinha outras prioridades. E como pai, de que forma você reagiria diante de um Deus que acabou de decepcionar você? Jairo havia depositado toda a sua esperança em Jesus, mas é recebido com uma mensagem desanimadora: "Pare de incomodar o mestre, a sua filha morreu". Nessa hora, Jesus olha para Jairo e diz: "Não temas, crê somente, e ela será salva" (Lucas 8:50, ARA).

Diante das palavras de Jesus, creio que Jairo deu à sua alma o mesmo comando que o salmista havia dado nos salmos que vimos anteriormente: "Espera em Deus"; pois quando nos encontramos com Jesus, não importa o que dizem as circunstâncias, temos uma palavra, portanto, agimos de acordo com ela. O texto bíblico nos mostra o que aconteceu à filha de Jairo logo depois:

> Entretanto, ele, tomando-a pela mão, disse-lhe, em voz alta: Menina, levanta-te! Voltou-lhe o espírito, ela imediatamente se levantou, e ele mandou que lhe dessem de comer. Seus pais ficaram maravilhados, mas ele lhes advertiu que a ninguém contassem o que havia acontecido (Lucas 8:54-56, ACF).

Que possamos sempre ter nossos olhos e ouvidos abertos para Jesus, que enfrentou e venceu a morte, acalmou a tempestade e nunca vai nos abandonar, pois já nos assegurou: "Estou sempre com vocês, até o fim dos tempos" (Mateus 28:20, NVT).

5

ENVELHECIMENTO (SENESCÊNCIA X SENILIDADE)

> **"**Em robusta velhice você descerá à sepultura, como se recolhe o feixe de trigo no tempo certo.**"**
>
> JÓ 5:26

Para falarmos sobre envelhecimento, precisamos compreender os processos e as escolhas em nosso estilo de vida que podem levar-nos a um envelhecimento saudável (senescência) ou prejudicial (senilidade).

A senescência abrange todas as alterações produzidas no organismo de um ser vivo e que estão diretamente relacionadas à sua evolução no tempo, levando a um declínio da reserva funcional sem nenhum mecanismo de doença reconhecido. Como exemplos de senescência temos a queda ou o embranquecimento dos cabelos, a perda de flexibilidade da pele e o aparecimento de rugas. São fatores que podem incomodar, mas nenhum deles provoca encurtamento da vida ou alteração funcional.

Já a senilidade pode ser definida como as condições que acometem o indivíduo no decorrer da vida baseadas em mecanismos fisiopatológicos (geradores de doenças). São, dessa forma, doenças que comprometem a qualidade de vida das pessoas, mas não são comuns a todas elas em uma mesma faixa etária. Por exemplo: a perda hormonal no homem que impede a vida sexual ativa, a osteoartrose, a demência, a diabetes, entre outros comprometimentos na saúde. Todas essas circunstâncias não são normais da idade nem comuns a todos os idosos, por isso são caracterizadas como quadro de senilidade.

Para que possamos desfrutar de uma longevidade saudável (senescência) é necessário adotar uma atitude preventiva e intervencionista. Sempre digo para meus pacientes que meu objetivo não é tratar doenças, mas sim impedir que eles fiquem doentes. Isso requer uma mudança de atitude. É preciso mover-se de uma posição passiva para uma posição ativa, a fim de que a idade biológica fique cada vez mais distante da idade cronológica. Essa postura envolve ações que evitem ou minimizem fatores que causam essas doenças, estabelecendo assim verdadeiros pilares do envelhecimento saudável.

Um dos equívocos que acontecem em nossa cultura é a troca da saúde pela boa aparência, com o desejo desenfreado de não aparentar a idade que se tem. O problema não é ter 60, 70, 80 anos, mas chegar a essa idade tentando aparentar ter 20 anos. Minha avó sempre falava um ditado: "Por fora bela viola, por dentro pão bolorento!".

É importante diferenciar a idade cronológica da idade biológica. A Bíblia já expõe esse aspecto em dois versículos que aparentemente se contradizem, mas na verdade se complementam.

Aqui vemos o conceito de idade cronológica, ou seja, nosso limite genético: "Então o Senhor disse: Meu Espírito não tolerará os humanos por muito tempo, pois são apenas carne mortal. Seus dias serão limitados a 120 anos" (Gênesis 6:3).

Este outro versículo, por sua vez, aponta o conceito de idade biológica, ou seja, refere-se ao estado de conservação dos órgãos e tecidos: "Os dias da nossa vida sobem a setenta anos ou, em havendo vigor, a oitenta; neste caso, o melhor deles é canseira e enfado, porque tudo passa rapidamente, e nós voamos" (Salmos 90:10).

Um exemplo desses conceitos é encontrado na história de Calebe:

> Então os filhos de Judá chegaram a Josué em Gilgal; e Calebe, filho de Jefoné, o quenezeu, lhe disse: Tu sabes o que o SENHOR falou a Moisés, homem de Deus, em Cades-Barneia por causa de mim e de ti. *Quarenta anos tinha eu*, quando Moisés, servo do SENHOR, me enviou de Cades-Barneia a espiar a terra; e eu lhe trouxe resposta, como sentia no meu coração. Mas meus irmãos, que subiram comigo, fizeram derreter o coração do povo; eu, porém perseverei em seguir ao SENHOR meu Deus. Então Moisés naquele dia jurou, dizendo: Certamente a terra que pisou o teu pé será tua, e de teus filhos, em herança perpetuamente; pois perseveraste em seguir ao SENHOR meu Deus. E agora *eis que o SENHOR me conservou em vida*, como disse; *quarenta e cinco anos são passados*, desde que o SENHOR falou esta palavra a Moisés, andando Israel ainda no deserto, e agora eis que *hoje tenho já oitenta e cinco anos. E ainda hoje estou tão forte como no dia em que Moisés me enviou; qual era a minha força então, tal é agora a minha força, tanto para a guerra como para sair e entrar.* Agora, pois, dá-me este monte de que o SENHOR falou aquele dia; pois naquele dia tu ouviste que estavam ali os anaquins, e grandes e fortes cidades. Porventura o SENHOR será comigo, para os expulsar, como o SENHOR disse. E Josué o abençoou, e deu a Calebe, filho de Jefoné, a Hebrom em herança. Portanto Hebrom ficou sendo herança de Calebe, filho de Jefoné, o quenezeu, até ao dia de hoje, porquanto perseverara em seguir ao SENHOR Deus de Israel (Josué 14:6-14, ACF, grifo nosso).

Calebe recebe uma promessa aos 40 anos de idade. Cabe ressaltar que a promessa sempre tem duas partes: 1) a parte de Deus, que é assegurar que você esteja no lugar da promessa; e 2) a nossa parte, que é permanecer no lugar da promessa, o que requer uma atitude que leva a um estilo de vida ("eu, porém perseverei em seguir ao Senhor meu Deus" — v. 8).

Ao longo dos versículos, vemos que Calebe relata na linguagem tecnológica própria daquela época que sua idade biológica era de 40 anos, apesar de sua idade cronológica ser de 85 anos. Ou seja, sua capacidade mental, osteomuscular, hormonal, cardiorrespiratória, digestiva, renal conservavam um padrão de um homem de 40 anos! Em um exercício matemático simples, podemos considerar que, se ele faleceu aos 110-120 anos (idade cronológica), a idade biológica dele estaria entre 70-80 anos, harmonizando os dois versículos anteriormente citados.

Embora não saibamos se viveremos 120 anos, temos de viver todos os dias como se fossemos viver até lá. É por isso que tenho o hábito de dizer ao acordar: "vou viver até morrer, e não apenas sobreviver!".

Para caminharmos em direção a um envelhecimento saudável, devemos realizar alguns ajustes em nosso estilo de vida, atentando para alguns princípios fundamentais. Já falamos sobre o manejo correto do estresse, e nos próximos capítulos daremos mais alguns passos importantes na construção da base de nossa saúde.

E que, assim como Calebe, possamos dizer: "Desde então, o Senhor me guardou com vida de acordo com a sua promessa" (Josué 14:10).

6

ALIMENTAÇÃO

> "Certamente vocês sabem que são o templo de Deus e que o Espírito de Deus vive em vocês. Assim, se alguém destruir o templo de Deus, Deus destruirá essa pessoa. Pois o templo de Deus é santo, e vocês são o seu templo."
>
> 1 CORÍNTIOS 3:16-17, NTLH

> "[...] pois eu sou o Senhor que os cura."
>
> ÊXODO 15:26C

Uma área da medicina que tem se desenvolvido de maneira espantosa é a nutrigenômica, ciência que analisa a forma como os nutrientes interagem com o material genético, interferindo na expressão dos genes.

Logo após o povo de Israel atravessar o Mar Vermelho, Deus se identifica para o povo como "o Senhor que cura". O elemento de cura tem seu ponto de partida em uma série de instruções alimentares, as quais asseguraram a saúde do povo durante todo o tempo em que estavam no deserto ("e entre as suas tribos não houve um só enfermo", Salmos 105:37, ARC). O estilo alimentar proposto pelo Senhor foi capaz de modular a expressão genética (fenótipo) dos israelitas, transformando-os de um povo com mentalidade servil em verdadeiros guerreiros. No entanto, foi necessário passar uma geração inteira até que esse processo se concretizasse.

Deixe-me explicar melhor, o genótipo corresponde ao código genético de um indivíduo, ou seja, ao conjunto de genes, sendo constituído por informações que foram passadas por meio da hereditariedade (informações genéticas transmitidas entre as gerações). Fenótipo, por sua vez, é a expressão observável de um genótipo (a cor dos olhos, a textura do cabelo e a altura de um indivíduo), sendo o resultado da interação entre o genótipo do indivíduo e o ambiente no qual ele se encontra.

Em uma reportagem de capa alarmante em 23 de junho de 2008, a revista TIME afirmou que "esta pode ser a primeira geração em que os pais enterrarão os filhos", não por guerras, epidemias e desastres naturais, mas sim por um estilo alimentar que contribui para o surgimento de doenças crônico-degenerativas de uma forma cada vez mais precoce.

E o que tem nos levado a essa condição? Considere dois armários, um contendo alimentos artificiais, outro com alimentos naturais. Veja o que cada um deles tem a oferecer:

ALIMENTO ARTIFICIAL	ALIMENTO NATURAL
Sobrepeso e obesidade	Proteção contra: câncer, doenças cardiovasculares, enfermidades degenerativas, obesidade
Doenças degenerativas como diabetes, doença cardiovascular e artrite	
Fadiga	Vigor mental
Hipertensão	Vigor físico
Câncer	Sistema imune funcionante
Constipação	Função gastrointestinal saudável
Alterações do humor	
Impotência	
Alergias	

Qual deles você escolheria?

No decorrer da vida, o ser humano consome em torno de 60 toneladas de alimentos. Por causa da cultura *fast-food*, grande parte destes alimentos são artificiais, ou seja, servem de combustível para o surgimento de várias doenças degenerativas e até mesmo para a ocorrência de mortes prematuras.

Assim como eu, você já deve ter conhecido pessoas valorosas que tiveram suas carreiras ou ministérios abreviados por fatalidades como acidente vascular cerebral (derrame), diabetes, infarto agudo do miocárdio etc. É muito triste ver servos de Deus com o chamado vivo em seus corações, mas com um corpo debilitado que os impede de cumpri-lo.

Por isso o que comemos é tão importante. Escolha comer alimentos que são de verdade, e não os que fingem ser. Tudo o que consumimos tem o potencial de gerar vida ou morte!

Nossa escolha alimentar não se baseia em legalismo, em alimentos puros ou impuros. Mas, por uma questão de livre arbítrio — "Todas as coisas me são lícitas, mas nem todas convêm. Todas as coisas me são lícitas, mas eu não me deixarei dominar por nenhuma delas" (1Coríntios 6:12, ARA) — podemos sim escolher comer o que nos traz vida e não morte.

O que você come ou deixa de comer não impedirá que você vá para o céu, mas poderá garantir que você chegue no tempo certo ou fazer com que chegue lá muito mais cedo do que o esperado.

Vamos começar entendendo de forma clara a diferença que separa os alimentos artificiais dos alimentos naturais. Os alimentos naturais foram criados especificamente para nosso consumo, portanto não são acrescidos de substâncias químicas nem são quimicamente alterados. Fazem parte desse grupo frutas, vegetais, grãos, sementes, nozes, carnes, gorduras e derivados lácteos. Por exemplo, uma fruta é o padrão de doce perfeito. Foi criada por Deus e tem a medida certa de açúcar (frutose), enzimas, fibras, vitaminas, sais minerais e fitonutrientes. Esses últimos são substâncias produzidas pela planta que a protegem de doenças e agressores, e ao serem consumidas também vão desempenhar essa importante função no organismo humano.

Alimentos artificiais são o oposto disso. São produtos alterados para durarem o máximo de tempo possível e recebem a adição de substâncias químicas a fim de prolongar sua validade. São viciantes para o consumidor, pois contêm substâncias que enganam o cérebro, como o *glutamato monossódico*. O mecanismo de ação desse produto envolve a hiperestimulação dos neurônios. É como se você colocasse uma lâmpada elétrica de 110V em um soquete de 220V, e isso pode causar morte prematura. Essa substância também faz com que o pâncreas produza mais insulina. O açúcar no sangue diminui mais rápido devido ao excesso de insulina e faz com que você sinta mais fome ainda.[1]

No alimento artificial também são adicionadas quantidades consideráveis de açúcares simples (dextrose, xarope de milho, frutose, glicose, sacarose) e de gorduras hidrogenadas ou parcialmente hidrogenadas. Essas gorduras alteram o funcionamento normal das membranas das células, ocasionando a entrada de substâncias tóxicas em nosso corpo. Esses alimentos também causam constipação e, devido ao elevado teor de sódio (sal), colaboram para a ocorrência de hipertensão arterial.

O açúcar e as farinhas refinadas, devido ao seu alto índice glicêmico, promovem ganho de peso e aumentam o risco de doenças degenerativas, como a diabetes tipo 2. Além disso, esses alimentos prejudicam o funcionamento do sistema imunológico, pois alteram seu funcionamento e favorecem o surgimento de células cancerígenas, bem como a proliferação de fungos e bactérias. Também estão vinculados a distúrbios

---

[1] HERMANUSSEN, M. *et al*. Obesity, voracity, and short stature: the impact of glutamate on the regulation of appetite. *European Journal Clinical Nutrition, s. l.*, v. 60, n. 1, p. 25-31, jan. 2006. Doi: 10.1038/sj.ejcn.1602263. FERNANDEZ-TRESGUERRES, H. J. A. Efecto del glutamato monosódico por vía oral sobre el control del apetito (una nueva teoría para la epidemia de la obesidad) [Effect of monosodium glutamate given orally on appetite control (a new theory for the obesity epidemic)]. *Anales de la Real Academia Nacional de Medicina*, Madri, v. 122, n. 2, p. 341-355, 2005.

comportamentais, pois, uma vez que o organismo se vicia nesses alimentos, a falta deles causa alteração no humor e a pessoa fica mais irritada. Por fim, o açúcar e as farinhas refinadas aceleram o processo de envelhecimento devido aos produtos finais de glicação avançada (AGEs) — moléculas que causam envelhecimento acelerado e doenças — e que provocam um aspecto semelhante ao açúcar queimado (caramelo) nos vasos sanguíneos.[2]

Qual é a melhor dieta?

A ciência está lutando para acompanhar a variedade de dietas disponíveis hoje. Qualquer livro de dieta que se torne um best-seller afirma ser a solução para saúde ou perda de peso, ou ambos, e parece ser apoiado por uma longa lista de sugestões e evidências científicas ostensivas.

As propagandas disseminadas na mídia com títulos bombásticos que imediatamente chamam nossa atenção e que afirmam ser baseadas em pesquisas que tentam "demolir o que pensávamos que sabíamos sobre nutrição" só aumentam a incerteza, diante de um público que está sempre procurando uma solução mágica. No entanto, a ciência da nutrição não muda da noite para o dia, e as mudanças de conceitos levam tempo, ao contrário do que é afirmado quando você lê afirmações tão radicais ou que pleiteiam uma exclusividade. Em vez disso, novas informações são adicionadas ao assunto, e vários estudos levam ao desenvolvimento de uma compreensão mais ampla do estilo alimentar ideal.

A verdade é que não existe um único método de alimentação que seja sempre eficaz para os diferentes grupos étnicos e populacionais. Por exemplo, é um consenso que o consumo de frutas, verduras e legumes fornecem excelentes nutrientes, mas os esquimós se alimentam de

....
[2] SINGH, R. *et al.* Advanced glycation end-products: a review. *Diabetologia, s. l.*, v. 44, n. 2, p. 129-146. Doi: 10.1007/s001250051591. Erratum in: *Diabetologia, s. l.*, v. 45, n. 2, p. 293.

salmão, aves, foca, caribus, boi-almiscarado, raposa, urso polar e baleia. Acaso esse estilo alimentar se encaixaria em um país tropical? É fundamental lembrar que além da geografia e da cultura, existe a individualidade (idiossincrasia) de cada pessoa, por isso não existe uma resposta única que se encaixe em todas as situações.

Como saber qual dieta é ideal para você? Faça uma associação com os dedos de sua mão:

1. Deve fornecer um bom balanço de nutrientes.
2. Deve ser agradável ao seu paladar.
3. Deve adequar-se à sua capacidade culinária.
4. Deve se encaixar em sua rotina diária.
5. Deve melhorar, não degradar, sua qualidade de vida.

Novas escolhas alimentares exigirão tempo, esforço, reflexão e planejamento para se tornar um estilo alimentar, e seus novos hábitos passarão a ser naturais em sua rotina.

Um questionamento comum que recebo é se Deus quer que os seres humanos sejam vegetarianos. A resposta é sim e não. No princípio, o vegetarianismo era o plano de Deus para toda a humanidade: "Disse Deus: Eis que lhes dou todas as plantas que nascem em toda a terra e produzem sementes, e todas as árvores que dão frutos com sementes. Elas servirão de alimento para vocês" (Gênesis, 1:29, NVI).

Contudo, após o Dilúvio, houve uma mudança nessa ordem natural: "Tudo o que vive e se move lhes servirá de alimento. Assim como lhes dei os vegetais, agora lhes dou todas as coisas" (Gênesis 9:3, NVI).

Instruções sobre como se alimentar de maneira saudável estão descritas em Levítico 11 e Deuteronômio 14, mostrando que na Aliança da Lei havia restrições alimentares. Jesus, que em Mateus 5:17 declarou: "Não pensem que vim abolir a Lei ou os Profetas; não vim abolir, mas cumprir", obedeceu a essas mesmas normas. Ele, portanto, não comia alimentos proibidos pela Lei.

ALIMENTAÇÃO 99

Porém, ao cumprir a Velha Aliança, Jesus estabeleceu uma aliança superior ("Jesus tornou-se, por isso mesmo, a garantia de uma aliança superior" — Hebreus 7:22). Hoje não estamos mais debaixo da Aliança da Lei, mas da Aliança da Graça: "Porque toda criatura de Deus é boa, e não há nada que rejeitar, sendo recebido com ações de graças, porque, pela palavra de Deus e pela oração, é santificada" (1Timóteo 4:4,5).

A propósito, já ouvi esse texto sendo usado para justificar a ingestão de produtos alimentícios que reconhecidamente causam danos ao templo do Espírito Santo. No entanto, o texto bíblico sugere que os alimentos santificados pela oração são aqueles que foram criados por Deus.

Então qual é a dieta mais sábia a ser seguida? A dieta da temperança. Sendo Jesus o modelo para os cristãos, a pergunta a ser feita é: o que Jesus comeria?

A busca pela melhor alimentação tem sido um desafio contínuo há muitos anos. Houve muitas abordagens e modismos diferentes ao longo dos anos, mas dois conceitos que ganharam atenção significativa nos últimos anos são o jejum intermitente e o estudo PURE.

O jejum intermitente consiste em um método de alimentação com períodos alternados de jejum e alimentação. A forma mais popular de jejum intermitente envolve um jejum diário de 16 horas com uma janela de alimentação de 8 horas. Durante o período de jejum, apenas água, café ou chá são permitidos. Um dos benefícios do jejum intermitente é que ele pode induzir um processo chamado autofagia, que é a maneira natural do corpo de limpar células danificadas e reciclar componentes celulares.

Na autofagia, a saúde celular é mantida por meio de um processo complexo no qual proteínas danificadas, organelas e outros detritos celulares são sequestrados em autofagossomos, que são então transportados para lisossomos para degradação e reciclagem. É particularmente importante para prevenção de doenças relacionadas à idade, como a doença de Alzheimer, de Parkinson e câncer.

Diferentes estudos têm investigado a relação entre jejum intermitente e autofagia. Veja a seguir algumas descobertas importantes:

O artigo de revisão "Jejum, ritmos circadianos e alimentação com restrição de tempo na vida saudável"[3], publicado em 2016, em inglês, resume as evidências atuais sobre os efeitos da alimentação com restrição de tempo (TRF), um tipo de jejum intermitente, na saúde metabólica e na autofagia. Os autores observam que a TRF pode aumentar a autofagia, induzindo estresse celular; no entanto, eles assinalam a necessidade de realizar mais pesquisas para confirmar essa relação.

No estudo "O jejum intermitente do amanhecer ao pôr do sol durante quatro semanas consecutivas induz resposta proteômica sérica anticancerígena e melhora a síndrome metabólica",[4] publicado em 2020, os pesquisadores sugerem que o jejum intermitente do amanhecer ao pôr do sol durante quatro semanas consecutivas, que está em sincronia com o ritmo circadiano e a rotação da Terra, pode ser um tratamento adjuvante na síndrome metabólica e deve ser testado na prevenção e tratamento de cânceres induzidos pela síndrome metabólica

O estudo intitulado "Jejum: mecanismos moleculares e aplicações clínicas",[5] publicado em 2014, mostrou que o jejum tem o potencial de retardar o envelhecimento e ajudar a prevenir e tratar doenças, ao mesmo tempo que minimiza os efeitos secundários causados por intervenções dietéticas crónicas, por melhorar os mecanismos de resposta de adaptação celulares.

....

[3] "Fasting, Circadian Rhythms, and Time-Restricted Feeding in Healthy Lifespan" (Cell Metabolism, 202016). https://www.cell.com/cellmetabolism/fulltext/S15504131%2816%29302509?_returnURL=https%3A%2F%2Flinkinghub.elsevier.com%2Fretrieve%2Fpii%2FS1550413116302509%3Fshowall%3Dtrue

[4] Mindikoglu, A.L., Abdulsada, M.M., Jain, A. *et al.* Intermittent fasting from dawn to sunset for four consecutive weeks induces anticancer serum proteome response and improves metabolic syndrome. *Sci Rep* 10, 18341 (2020). https://doi.org/10.1038/s41598-020-73767-w

[5] "Longo VD, Mattson MP. Fasting: molecular mechanisms and clinical applications. Cell Metab. 2014 Feb 4;19(2):181-92. doi: 10.1016/j.cmet.2013.12.008. Epub 2014 Jan 16. PMID: 24440038; PMCID: PMC3946160.

ALIMENTAÇÃO 101

Já o estudo "Efeitos do jejum intermitente na saúde, envelhecimento e doença"[6], publicado em 2019, mostrou que pacientes com Diabetes Melitus Tipo 2 em uso de hipoglicemiantes orais, ao utilizarem o Jejum Intermitente como rotina dietética, tiveram uma redução nas dosagens dos medicamentos e em alguns casos a suspensão deles.

O estudo PURE, publicado em 2017, trouxe uma mudança de paradigma do que era comumente entendido como uma dieta saudável, com base na pirâmide alimentar da Food and Drug Administration (FDA; uma agência federal do Departamento de Saúde e Serviços Humanos dos Estados Unidos), publicada em 1982. Esse estudo, realizado em 18 países, acompanhou durante 10 anos (2003-2013) um total de 135.335 indivíduos com idades compreendidas entre os 35 e os 70 anos e concluiu o seguinte: a elevada ingestão de hidratos de carbono esteve associada a um maior risco de mortalidade total, enquanto a gordura total e os tipos individuais de gordura estiveram relacionados com uma menor mortalidade total. A gordura total e os tipos de gordura não foram associados a doenças cardiovasculares, infarto do miocárdio ou mortalidade por doenças cardiovasculares, enquanto a gordura saturada teve uma associação inversa com acidente vascular cerebral. As diretrizes dietéticas globais devem ser reconsideradas à luz dessas descobertas.[7]

Uma das principais descobertas do estudo PURE foi que uma dieta rica em frutas, vegetais e grãos integrais foi associada a um risco reduzido de doença cardíaca, acidente vascular cerebral e mortalidade. Esse tipo

· · · · · · · ·

6 de Cabo R, Mattson MP. Effects of Intermittent Fasting on Health, Aging, and Disease. N Engl J Med. 2019 Dec 26;381(26):2541-2551. doi: 10.1056/NEJMra1905136. Erratum in: N Engl J Med. 2020 Jan 16;382(3):298. Erratum in: N Engl J Med. 2020 Mar 5;382(10):978. PMID: 31881139.

7 DEHGHAN M. *et al.* Associações da ingestão de gorduras e carboidratos com doenças cardiovasculares e mortalidade em 18 países dos cinco continentes (PURE): um estudo prospectivo de coorte. *Lanceta, s. l.*, v. 390, n. 10107, p. 2050-2062, nov. 2017. Doi: 10.1016/S0140-6736(17)32252-3.

de dieta também é consistente com os princípios do jejum intermitente, que enfatiza o consumo de alimentos integrais e ricos em nutrientes durante o período de alimentação.

Outro achado importante do estudo PURE foi que uma dieta rica em carboidratos refinados, como açúcar e farinha branca, estava associada a um risco aumentado de doença cardíaca e mortalidade. O jejum intermitente pode ajudar a reduzir o consumo desses tipos de alimentos, limitando a janela de alimentação e promovendo o consumo de alimentos integrais e não processados.

O jejum intermitente também demonstrou melhorar a sensibilidade à insulina e reduzir a inflamação, fatores importantes no desenvolvimento de doenças crônicas, como doenças cardíacas e diabetes. De acordo com o estudo PURE, dietas ricas em carboidratos refinados estão associadas ao aumento da inflamação, enquanto dietas ricas em frutas, vegetais e grãos integrais estão associadas à redução da inflamação.

Obviamente, é importante lembrar que não existe uma abordagem única para a dieta e que as necessidades e preferências individuais devem ser levadas em conta. Uma pergunta frequente é sobre o padrão atual de comer a cada três horas. Houve vários estudos sobre comer a cada três horas *versus* jejum intermitente. Aqui estão algumas das principais descobertas:

Comer a cada três horas:

1. Um estudo publicado na *Obesity* demonstrou que durante a perda de peso, a ingestão de refeições com alto teor de proteínas (HP) melhorou a saciedade diária e o controle do apetite noturno, enquanto a maior frequência alimentar não teve relativamente nenhum impacto nesses resultados. Estes dados sugerem que uma dieta de restrição energética contendo um aumento moderado na proteína dietética consumida em 3 refeições diárias ou menos

ALIMENTAÇÃO 103

leva a um melhor controle do apetite e saciedade em homens com sobrepeso e obesos.[8]

2. Outro estudo publicado no Journal of the American Dietetic Association descobriu que consumir pequenas refeições frequentes ao longo do dia pode levar a um melhor controle do açúcar no sangue em indivíduos com diabetes tipo 2.[9]

3. No entanto, um estudo descobriu que comer refeições menores e mais frequentes não resultou em maior perda de peso em comparação com refeições maiores e menos frequentes.[10]

Jejum intermitente:

1. Uma revisão publicada no New England Journal of Medicine descobriu que o jejum intermitente pode levar à perda de peso, melhorar o controle do açúcar no sangue e reduzir a inflamação.[11]

2. Outro estudo publicado na revista Obesity descobriu que o jejum intermitente pode levar à diminuição da resistência à insulina e melhorar a tolerância à glicose.[12]

3. No entanto, um estudo publicado na revista Nutrients descobriu que o jejum intermitente pode não ser apropriado para todos,

[8] LEIDY H. J., TANG M., ARMSTRONG C. L., MARTIN C. B., CAMPBELL W. W. The effects of consuming frequent, higher protein meals on appetite and satiety during weight loss in overweight/obese men. Obesity (Silver Spring). 2011 Apr;19(4):818-24. doi: 10.1038/oby.2010.203. Epub 2010 Sep 16. PMID: 20847729; PMCID: PMC4564867.

[9] JENKINS, D. J. A. *et al.* Índice glicêmico alimentar: uma base fisiológica para a troca de carboidratos. *Sou J Clin Nutr, s. l.*, v. 34, n. 3, p. 362-366, 1981.

[10] CAMERON J. D. CYR M. J.; DOUCET, E. O aumento da frequência de refeições não promove maior perda de peso em indivíduos que receberam prescrição de uma dieta equina com restrição calórica de 8 semanas. *Br. J. Nutr.*, v. 103, n. 7, p. 1098-1101, 2010.

[11] CABO, R.; MATTSON, M. P. Efeitos do jejum intermitente na saúde, envelhecimento e doenças. *The New England Journal of Medicine, s. l.*, v. 38, n. 26, p. 2541-2551, 2019.

[12] ANTON, S. D. *et al.* Desencadeando o interruptor metabólico: entendendo e aplicando os benefícios para a saúde do jejum. *Obesity, s. l.*, v. 26, n. 2, p. 254-268, 2019.

especialmente aqueles com condições de saúde específicas, como distúrbios alimentares ou diabetes.[13]

É importante notar que não há uma abordagem melhor que funcione para todos quando se trata de frequência e horários de alimentação. Diferentes indivíduos podem ter diferentes necessidades metabólicas, preferências e estilos de vida que podem afetar a eficácia de vários padrões alimentares. Em geral, o fator mais importante para alcançar e manter uma boa saúde é ter uma dieta equilibrada e nutritiva que atenda às suas necessidades e preferências individuais. Isso pode envolver experimentar diferentes padrões alimentares e consultar um profissional de saúde ou nutricionista para encontrar a melhor abordagem para você.

Em termos de número de estudos e força de evidência, o jejum intermitente tem sido mais amplamente pesquisado e tem mostrado resultados promissores para perda de peso, controle de açúcar no sangue e redução da inflamação. No entanto, os resultados individuais podem variar, e o jejum intermitente pode não ser apropriado para todos, especialmente para aqueles que apresentam condições de saúde específicas ou deficiências nutricionais.

Em conclusão, combinar os princípios do jejum intermitente e os resultados do estudo PURE pode fornecer uma maneira poderosa de melhorar a saúde e o bem-estar. Ao promover o consumo de alimentos integrais e ricos em nutrientes e limitar a ingestão de carboidratos refinados, os indivíduos podem reduzir o risco de doenças crônicas e melhorar sua saúde geral.

Veja algumas dicas para uma boa alimentação:

1. Limite a ingestão de alimentos processados (três brancos): farinha refinada, açúcar refinado e sal refinado.

---

[13] PATTERSON, R. E.; SEARS D. D. Metabolic Effects of Intermittent Fasting. *Annu Rev Nutr.*, v. 37, p. 371-393, 2017.

ALIMENTAÇÃO 105

2. Diminua a ingestão de líquidos durante a refeição. Imagine a digestão como um incêndio e, ao tomar água, ou ainda pior, refrigerantes, você "apaga" todo o processo digestivo. Uma sugestão: coma uma fruta após a refeição, o que traz saciedade em relação a doces e líquidos. Nesse processo de retirada de líquidos, procure consumir até 150 ml.

3. Não repita. Comer uma vez a cada refeição é suficiente.

4. Coma devagar.

5. Dê garfadas menores.

6. Concentre-se na comida. Sente-se à mesa e faça da refeição um momento prazeroso, saboreando os alimentos e a companhia de pessoas queridas. Ao invés de *fast-food*, que tal *slow-food*?

7. Coma porções pequenas. Se você quiser escalar uma montanha, faça um curso de alpinismo, mas não permita que seu prato seja um "Monte Everest". Não acredite na história de que se você for magro pode comer de tudo que não engordará. Pratique o domínio próprio.

8. Lembre-se: a qualidade da comida leva a comer menos quantidade. Aqui fica uma dica: na hora da escolha, lembre-se de que as frituras não são saudáveis, independentemente do óleo a ser usado. Já para o preparo de comidas e temperos, é bom escolher o óleo de coco ou palma, banha de porco e azeite de oliva.[14]

· · · · · · · ·
[14] ALMEIDA, C. A. N. *et al.* Azeite de oliva e suas propriedades em preparações quentes: revisão da literatura. *International Journal of Nutrology, s. l.*, v. 8, n. 2, p. 13-20, 2015. Doi: 10.1055/s-0040-1705067.

7

MODULAÇÃO NUTRICIONAL

> **❝**Disse Deus: 'Eis que lhes dou todas as plantas que nascem em toda a terra e produzem sementes, e todas as árvores que dão frutos com sementes. Elas servirão de alimento para vocês. E dou todos os vegetais como alimento a tudo o que tem em si fôlego de vida: a todos os grandes animais da terra, a todas as aves do céu e a todas as criaturas que se movem rente ao chão'. E assim foi.**❞**
>
> GÊNESIS 1:29-30

Deus criou um mundo perfeito no qual, ao se alimentar, o ser humano seria capaz de absorver todos os nutrientes necessários para o bom funcionamento do seu organismo. Esse seria o mundo ideal, mas a verdade é que vivemos em um mundo ainda corrompido (Romanos 8:22).

Neste mundo natural em que vivemos só uma boa dieta não é suficiente. Devido à exploração do homem, o solo atual tem menos nutrientes do que antes, e como consequência disso, os alimentos também são menos nutritivos. Além disso, com o aumento da poluição, absorvemos mais toxinas através daquilo que ingerimos, da água, da pele e do ar contaminados.

A má digestão é outro fator que nos impede de obter dos alimentos todos os nutrientes necessários. A questão não é apenas o que você come, e sim o que você assimila e absorve. O trato gastrointestinal atua como barreira na absorção de nutrientes e eliminação dos resíduos do metabolismo, mas nosso estilo de vida ocidental *fast-food* — repleto de alimentos processados e sem muitos nutrientes — altera a flora intestinal, fazendo com que o intestino absorva o que não deve e perca o que deve. Isso contribui para o surgimento de deficiências nutricionais e a absorção de substâncias tóxicas causadoras de doenças como alergias, diabetes tipo 2, artrose, artrites, doenças do fígado e da vesícula, entre outras.

Em contrapartida, nosso estilo de vida muito estressante exige mais do nosso organismo para que consigamos viver com saúde.

Durante décadas, a maioria dos médicos insistia que a suplementação de vitaminas, minerais, aminoácidos, fitonutrientes e ômega 3 não era necessária, pois os alimentos já forneciam tudo o que precisávamos. No entanto, um estudo publicado no *Journal of the American Medical Association (JAMA)* posicionou-se diretamente contra isso, recomendando a todos os adultos o uso de suplementação dessas substâncias para ajudar a prevenir doenças crônicas.

O consumo de suplementos com vitaminas, sais minerais, aminoácidos, enzimas, proteínas e fitonutrientes fortalece nosso sistema antioxidante, que é responsável pela eliminação do excesso de radicais livres — substâncias que agridem as células causando alterações no metabolismo e, consequentemente, doenças crônico degenerativas. Fitonutrientes são substâncias biologicamente ativas que dão aos vegetais cor, sabor e odor, e, ao serem consumidas por nós, garantem resistência natural às doenças, exercendo a parte mais importante na prevenção do câncer e das doenças cardiovasculares, sendo capazes de aumentar a longevidade e combater os efeitos negativos do envelhecimento.

MODULAÇÃO NUTRICIONAL 109

SUBSTÂNCIA ATIVA	FONTE ALIMENTAR	INDICAÇÃO
Ômega 3	Óleo de peixe, linhaça	Combate o aumento dos triglicérides Previne doenças cardiovasculares
Licopeno	Goiaba, tomate e molho de tomate melancia	Diminui envelhecimento celular Prevenção do câncer de próstata
Luteína, Zeaxantina	Espinafre, milho, fubá, gema do ovo	Diminui envelhecimento celular Previne a degeneração macular (doença da retina)
Fibras alimentares	Polpa e casca de frutas, leguminosas, cereais integrais, verduras e legumes	Combate a constipação intestinal Controla o colesterol alto
Beta-glucana	Aveia	Controla o colesterol alto Atua no aumento da imunidade
Dextrina resistente	Fibras	Combate a constipação intestinal
Goma guar	Fibras	Combate a constipação intestinal
FOS, Inulina	Trigo, frutas e vegetais, principalmente cebola, chicória, alho, alcachofras, batata, aspargos, beterraba, banana, tomate	Favorece a manutenção da flora intestinal Combate a diarreia e a constipação intestinal
Lactulose	Fibras	Combate a constipação intestinal
Psyllium	Fibras	Combate a constipação intestinal Controla o colesterol alto
Quitosana	Fibras	Controla o colesterol alto
Fitoesteróis	Creme vegetal com fitosteróis, leite com fitoesteróis, iogurte com fitoesteróis	Reduz a absorção de colesterol
Polióis	Xylitol	Favorece a prevenção de cáries dentárias
Probióticos	Coalhada, iogurte com probióticos, kefir, kombucha	Promove a manutenção da flora intestinal Combate a diarreia e a obstipação intestinal

SUBSTÂNCIA ATIVA	FONTE ALIMENTAR	INDICAÇÃO
Nattokinase	Produtos fermentados de soja	Reduz o colesterol sanguíneo Previne a trombose
Resveratrol	Uva e vinho tinto	Aumenta colesterol HDL Reduz o envelhecimento celular Melhora a função das plaquetas (previne trombose)
Flavonoides	Chá verde	Reduz o envelhecimento celular
Catequina Epicatequina Procianidina	Cacau	Reduz o colesterol LDL (ruim) e aumento do colesterol HDL (bom) Reduz a resistência à insulina Possui efeito hipotensor
Ácido clorogênico Cafeína	Café	Reduz o envelhecimento celular Reduz a resistência à insulina Melhora o controle glicêmico em diabetes tipo 2
Hidroxitirosol Oleuropeína	Azeite de oliva extravirgem	Aumenta o colesterol HDL (bom) Reduz o envelhecimento celular Melhora a função das plaquetas (previne trombose)
Curcumina	Açafrão	Possui efeito anti-inflamatório e anticâncer
Sesaminol	Gergelim	Diminui peroxidação lipídica (oxidação das gorduras, que são o principal componente das membranas das células)
Alicina Aliina Ajoeno	Alho	Possui efeito antibiótico, antifúngico e hipotensor
Gingerol	Gengibre	Efeito anti-inflamatório
Vitamina A (retinol e betacaroteno)	Cevada, manteiga, repolho, gema de ovo, peixe, óleo de fígado de bacalhau , spirulina, leite integral, damascos, brócolis, cenoura, melão, óleo de palma, mamão, abóbora, espinafre, tomate.	Favorece o crescimento e a reparação dos tecidos do corpo; ajuda a proteger as membranas mucosas da boca, do nariz, da garganta e dos pulmões, reduzindo a suscetibilidade a infecções; protege contra poluentes atmosféricos; combate à cegueira noturna e à visão fraca; auxilia na formação de ossos e dentes. Pesquisas médicas atuais mostram que alimentos ricos em betacaroteno ajudam a reduzir o risco de câncer de pulmão e certos tipos de câncer bucal. Ao contrário da vitamina A do óleo de fígado de peixe, o betacaroteno não é tóxico.

MODULAÇÃO NUTRICIONAL 111

SUBSTÂNCIA ATIVA	FONTE ALIMENTAR	INDICAÇÃO
Vitamina B1 (tiamina)	Aspargos, rim bovino, fígado bovino, levedura de cerveja, grão de bico, cordeiro, leite, feijão, nozes, carne de porco, aves, salmão, soja, spirulina, sementes de girassol, cereais integrais.	Desempenha um papel fundamental no ciclo metabólico do corpo para a geração de energia; auxilia na digestão de carboidratos; essencial para o funcionamento normal do sistema nervoso, músculos e coração; estabiliza o apetite; promove o crescimento e o bom tônus muscular.
Vitamina B2 (riboflavina)	Amêndoas, aspargos, cevada, levedura de cerveja, queijo, frango, ovos, vegetais de folhas verdes, fígado, carne, produtos lácteos, vísceras, folhas de hortelã-pimenta, folhas de senna, spirulina, gérmen de trigo.	Favorece o metabolismo de carboidratos, gorduras e proteínas; auxilia na formação de anticorpos e glóbulos vermelhos; mantém a respiração celular; contribui para a manutenção de uma boa visão, pele, unhas e cabelos; alivia a fadiga ocular; promove a saúde geral.
Vitamina B3 (niacina, ácido nicotínico)	Fígado bovino, levedura de cerveja, peixe, vegetais de folhas verdes, lúpulo, fígado, leite, nozes, amendoim, carne de porco, aves, salmão, sementes de girassol, atum, peru, vitela.	Melhora a circulação e reduz o nível de colesterol no sangue; mantém o sistema nervoso; ajuda a metabolizar proteínas, açúcar e gordura; reduz a pressão arterial elevada; aumenta a energia por meio da utilização adequada dos alimentos; ajuda a manter a saúde da pele, da língua e do sistema digestivo.
Vitamina B5 (ácido pantotênico)	Queijo azul, levedura de cerveja, moela de frango, milho, ovos, coração, rim, leguminosas, lentilhas, fígado, lagosta, carnes, leite, melaço, amendoim, ervilhas, arroz, soja, sementes de girassol, gérmen de trigo, cereais integrais.	Participa da produção de energia a partir de carboidratos, gorduras e proteínas; auxilia na utilização de vitaminas; melhora a resistência do corpo ao estresse; ajuda na construção celular e no desenvolvimento do sistema nervoso central; ajuda as glândulas suprarrenais; combate infecções por meio da produção de anticorpos.
Vitamina B6 (piridoxina)	Abacate, banana, farelo, pão, levedura de cerveja, cenoura frango, milho, peixe, avelãs, presunto, arenque, leguminosas, lentilhas, fígado, amendoim, arroz, salmão, camarão, soja, sementes de girassol, truta, atum, nozes, gérmen de trigo, cereais integrais.	Favorece a síntese e a degradação de aminoácidos, que são os componentes fundamentais da proteína; auxilia no metabolismo de gorduras e carboidratos; auxilia na formação de anticorpos; mantém o sistema nervoso central; auxilia na remoção do excesso de líquido de mulheres pré-menstruais; promove uma pele saudável; reduz espasmos musculares, cãibras nas pernas, dormência nas mãos, náuseas e rigidez das mãos; ajuda a manter um equilíbrio adequado de sódio e fósforo no corpo.

112 RUMO AOS 120 ANOS

SUBSTÂNCIA ATIVA	FONTE ALIMENTAR	INDICAÇÃO
Vitamina B9 (ácido fólico/ folato)	Cevada, feijão, beterraba, levedura de cerveja, fígado, vegetais folhosos verde-escuros, endívia, gemas de ovos, grão de bico, lentilhas, suco de laranja, ervilhas, arroz, soja, brotos, gérmen de trigo, pão integral.	É essencial para o crescimento e reprodução de todas as células do corpo, pois é necessária para a síntese de DNA e RNA; é essencial para a formação de glóbulos vermelhos por sua ação na medula óssea; auxilia no metabolismo de aminoácidos.
Vitamina B12 (cobalamina)	Carne de vaca, queijo azul e suíço, moela de frango, amêijoas, lacticínios, ovos, peixe, linguado, coração, arenque, rim, fígado, cavala, leite, sardinha, marisco.	Ajuda na formação e na regeneração de glóbulos vermelhos, prevenindo a anemia; é necessária para o metabolismo de carboidratos, gorduras e proteínas; mantém um sistema nervoso saudável; promove o crescimento em crianças; aumenta a energia; promove a absorção de cálcio.
Vitamina C (ácido ascórbico)	Acerola, suco de aloe vera, groselha preta, brócolis, couve-de-bruxelas, repolho, pimenta, couve-flor, couves, groselhas, toranja, goiaba, limão, manga, laranjas, mamão, salsa, batatas, rosa mosqueta, espinafre, morangos, pimentões, batata-doce, tangerinas, tomates, agrião.	Promove dentes, gengivas e ossos saudáveis; ajuda a curar feridas, tecido cicatricial e fraturas; previne o escorbuto; constrói resistência à infecção; auxilia na prevenção e no tratamento do resfriado comum; dá força aos vasos sanguíneos; auxilia na absorção de ferro. É necessária para a síntese de colágeno, que é o "cimento" intercelular que mantém os tecidos juntos. É também um dos principais nutrientes antioxidantes. Impede a conversão de nitratos (da fumaça do tabaco, poluição, bacon, carnes defumadas e alguns vegetais) em substâncias causadoras de câncer.
Vitamina D (calciferol)	Luz solar, manteiga, óleo de fígado de bacalhau, ovos, cavala, carne, leite, salmão, sardinha.	Modula a expressão do gene p53 (guardião da imunidade). Melhora a absorção e utilização de cálcio e fósforo; necessários para a formação de ossos e dentes; mantém a estabilidade do sistema nervoso estável e a normalidade da ação cardíaca.
Vitamina E (tocoferóis e tocotrienóis)	Amêndoas, óleos vegetais (milho, semente de algodão, amendoim, soja, palma, cártamo, girassol), ovos, avelãs, vegetais de folhas verdes, leite, nozes, gérmen de trigo, grãos integrais.	É um nutriente antioxidante importante; retarda o envelhecimento celular devido à oxidação; ajuda a levar alimento para as células; fortalece as paredes capilares; previne coágulos sanguíneos; ajuda a prevenir a esterilidade e a distrofia muscular.

MODULAÇÃO NUTRICIONAL 113

SUBSTÂNCIA ATIVA	FONTE ALIMENTAR	INDICAÇÃO
Vitamina H (biotina) É sintetizada no corpo por bactérias intestinais.	Levedura de cerveja, arroz integral, manteiga, fígado bovino, castanha de caju, cereais, queijo, galinha, gema de ovo, ervilhas verdes, rim, lentilhas, fígado, carnes, leite, nozes, aveia, amendoim, soja, sementes de girassol, atum.	Promove nervos, pele e músculos saudáveis; atua como coenzima no metabolismo da glicose e na síntese de gordura. Auxilia na utilização de proteínas, ácido fólico, ácido pantotênico e vitamina B12, promovendo a saúde capilar.
Vitamina K (fitomenadiona) Fontes de vitamina K2: a flora bacteriana intestinal.	Fontes naturais de vitamina K1: brócolis, repolho, espinafre, alface, nabo, chá verde, fígado bovino, gemas de ovo, trigo integral, aveia, soja, batatas, manteiga, queijo, aspargos, tomates.	Favorece o mecanismo de coagulação do sangue, sendo necessária para a síntese de protrombina, uma proteína que converte o fibrinogênio solúvel que circula no sangue em proteína muito insolúvel chamada fibrina, o principal componente de um coágulo sanguíneo. Atua na fixação do cálcio nos ossos, ajudando na prevenção de ateromatose (placas nos vasos).
Vitamina P (bioflavonoides)	Damascos, groselhas pretas, trigo sarraceno, cerejas, sabugueiro, uvas, toranja, alho, chá verde, vegetais verdes, baga de espinheiro, cavalinha, limões, nozes, óleo, laranja, cebola, pimentas, ameixas, rosa mosqueta, soja, cascas de frutas cítricas.	Mantém a resistência das paredes celulares e capilares; previne hematomas e intensifica o efeito da vitamina C no corpo; ajuda a prevenir hemorragias e rupturas nos capilares e tecidos conjuntivos e constrói uma barreira protetora contra infecções. Fornece propriedades antivirais, anti-inflamatórias e antialérgicas naturais.
Colina	Levedura de cerveja, repolho, fígado bovino, couve-flor, caviar, gema de ovo, grão de bico, feijão verde, lecitina, lentilhas, fígado, arroz, soja, gérmen de trigo.	Atua no controle do acúmulo de gordura e colesterol no corpo; impede que a gordura se acumule no fígado; facilita o movimento de gorduras nas células; ajuda a regular os rins, o fígado e a vesícula biliar; desempenha um papel importante na transmissão nervosa; ajuda a melhorar a memória.
Inositol	Feijões, cérebro, levedura de cerveja, fígado bovino, melão, frutas cítricas (exceto limões), grão de bico, coração, rim, lecitina, leguminosas, lentilhas, melaço, nozes, aveia, carne de porco, arroz, vitela, gérmen de trigo, grãos integrais.	É necessário para a formação de lecitina (material construtor das membranas de todas as células humanas); auxilia na quebra de gorduras; ajuda a reduzir o colesterol no sangue; ajuda a prevenir a queda de cabelo.

SUBSTÂNCIA ATIVA	FONTE ALIMENTAR	INDICAÇÃO
PABA (ácido para-aminobenzoico)	Farelo, levedura de cerveja, arroz integral, ovos, peixe, rim, lecitina, fígado, melaço, amendoim, soja, sementes de girassol, gérmen de trigo, grãos integrais, iogurte.	Auxilia as bactérias saudáveis na produção de ácido fólico; auxilia na formação de glóbulos vermelhos; contém propriedades de proteção solar; auxilia na assimilação do ácido pantotênico; devolve o cabelo à sua cor natural.
Boro (B)	Vegetais de folhas verdes, nozes, grãos, cerveja, sidra, vinho e suco de uva tinto, ameixas secas, tâmaras, passas, mel, nozes, uvas e peras, feijões.	Alivia sintomas da menopausa e contribui para a manutenção de ossos saudáveis, daí a sua afinidade com cálcio e magnésio.
Cálcio (Ca)	Amêndoas, castanhas-do-pará, brócolis, repolho, alfarroba, caviar, queijo, couves, laticínios, folhas de dente-de-leão, figos, vegetais de folhas escuras, couve, algas, leite, melaço, mostarda, aveia, salsa, casca de pau d'arco, ameixas, salmão, sardinha, frutos do mar, sementes de gergelim, soja, tofu, nabo, raiz de valeriana, iogurte.	Desempenha um papel essencial em diversas funções do corpo. É necessário para a formação e manutenção dos ossos, atua na coagulação sanguínea e nos músculos; é importante para o desenvolvimento de dentes e gengivas saudáveis; tem efeito calmante e tranquilizante; é necessário para a manutenção de um batimento cardíaco regular e para a transmissão de impulsos nervosos; ajuda na redução do colesterol, no crescimento muscular, na prevenção de cãibras musculares e na coagulação normal do sangue; também ajuda na estruturação de proteínas no DNA e no RNA; fornece energia; quebra gorduras; mantém a permeabilidade adequada da membrana celular, auxilia na atividade neuromuscular e ajuda a manter a pele saudável; impede que o chumbo seja absorvido pelos ossos.
Cloreto (Cl)	Sal de mesa, sal marinho, algas, azeitonas, tomates, aipo.	Ajuda a regular o equilíbrio hidroeletrolítico nas células, no espaço intersticial (entre as células) e na corrente sanguínea; é necessário para a produção de ácido clorídrico no ácido estomacal e para a absorção de vitamina B12 e ferro; auxilia na transmissão de impulsos nervosos; controla o crescimento de micro-organismos que entram no estômago; ativa as amilases (enzimas pancreáticas que digerem o amido).
Cromo (Cr)	Casca de maçã, banana, carne bovina, cerveja, melaço, levedura de cerveja, açúcar mascavo, manteiga, fígado bovino, queijo, frango, milho, laticínios, feijão seco, ovos, peixe, carne, cogumelos, farelo de aveia, ostras, batatas com pele, frutos do mar, folhas de estévia, grãos integrais.	Estimula as enzimas envolvidas no metabolismo da glicose e melhora a eficácia da insulina em sua relação com a glicose; compete com o ferro para transportar proteínas no sangue e está envolvido na capacidade de ligação RNA-proteína; Ajuda a estabilizar os ácidos nucleicos (DNA e RNA) contra mudanças estruturais; ajuda a estimular a síntese de ácidos graxos e colesterol no fígado.

MODULAÇÃO NUTRICIONAL 115

SUBSTÂNCIA ATIVA	FONTE ALIMENTAR	INDICAÇÃO
Cobalto (Co)	Beterraba verde, trigo sarraceno, repolho, amêijoas, figos, algas, rins e fígado (bovino, suíno) alface, leite, ostras, pau d'arco, salsaparrilha, espinafre, agrião.	É importante na formação de cobalamina ou vitamina B12; ativa enzimas.
Cobre (Cu)	Alfafa, amêndoas, abacates, fermento de padeiro, cevada, feijão, beterraba, pimenta preta, melaço, castanha do Brasil, brócolis, castanha de caju, cacau, caranguejo, folhas de dente-de-leão, alho, uvas, vegetais de folhas verdes, azeitonas verdes, avelãs, arenque, mel, cavalinha, lentilhas, fígado, lagosta, cogumelos, mexilhões, nozes, aveia, laranjas, ostras, amendoins, nozes, rabanetes, passas, sálvia, salmão, frutos do mar, sementes de gergelim, camarão, soja, sementes de girassol, nozes, farelo de trigo, gérmen de trigo, mandioca.	Auxilia na formação de ossos; participa na conversão de ferro em hemoglobina; colabora com o zinco e a vitamina C na produção de elastina, um componente das fibras musculares em todo o corpo; contribui para a produção de RNA, fosfolipídios, metabolismo de proteínas e trifosfato de adenosina (ATP); ajuda a converter tirosina em um pigmento que colore a pele e o cabelo; participa no processo de cicatrização, no sabor dos alimentos, na manutenção de nervos saudáveis e na formação de colágeno. O desequilíbrio de cobre aumenta o colesterol, perturbando a proporção adequada de HDL para LDL. Desempenha um papel na formação do tecido conjuntivo (ou seja, músculo e vasos sanguíneos).
Iodo (I)	Aspargos, acelga, bacalhau, óleo de fígado de bacalhau, alho, arenque, sais iodados, lagosta, cogumelos, ostras, salmão, sal marinho, frutos do mar, algas marinhas, sementes de gergelim, camarão, soja, espinafre, abóbora, sementes de girassol, nabo.	É importante para o desenvolvimento e a função adequada da tireoide; ajuda a metabolizar gorduras; promove o crescimento e regula a produção de energia; é absorvido no trato intestinal e transportado através da corrente sanguínea para a tireoide, onde se torna iodado e é convertido em tiroxina; é essencial para a absorção de carboidratos; também contribui para a saúde mental, para a saúde dos cabelos e das unhas; promove o equilíbrio adequado do colesterol e do metabolismo; é importante para a saúde da pele, da fala e dos dentes; participa na conversão de caroteno em vitamina A e na síntese de proteínas pelos ribossomos; previne o desenvolvimento de cistos em mamas, ovários e tireoide.

SUBSTÂNCIA ATIVA	FONTE ALIMENTAR	INDICAÇÃO
Ferro (Fe)	Amêndoas, abacates, feijões, carne bovina, beterraba, farelo, levedura de cerveja, brócolis, castanha de caju, caviar, queijo cheddar, cacau, tâmaras, garra do diabo, frutas secas, gema de ovo, grão de bico, folhas verdes, espinafre, coração, algas, rins, lentilhas, fígado, painço, melaço, ostras, salsa, pêssegos, peras, pistache, batatas, aves, ameixas, abóboras, passas, arroz, algas marinhas, sementes de gergelim, soja, sementes de girassol, língua, nozes, farelo de trigo, gérmen de trigo, grãos integrais.	Desempenha um papel importante na produção de hemoglobina; melhora a função das enzimas no metabolismo das proteínas e melhora as funções do cálcio e do cobre; é necessário para metabolizar as vitaminas do complexo B.
Lítio (Li)	Cana-de-açúcar, algas marinhas, águas minerais naturais, lentilhas.	Ajuda a estabilizar a transmissão de serotonina (neurotransmissor que atua no sono, humor, apetite) no sistema nervoso; influencia o transporte de sódio; fortalece o sistema imunológico.
Magnésio (Mg)	Amêndoas, cevada, melaço, levedura de cerveja, trigo sarraceno, carpa, cacau, bacalhau, semente de algodão, figos, linguado, alho, vegetais de folhas verdes, arenque, algas, alcaçuz, carne, cavala, painço, urtiga, nozes, farelo de aveia, aveia, pêssegos, manteiga de amendoim, amendoim, ervilhas, frutos do mar, sementes de gergelim, camarão, escargot, soja, sementes de girassol, tofu, trigo, farelo de trigo, gérmen de trigo, grãos integrais.	Desempenha um papel importante na regulação da atividade neuromuscular do coração; mantém o ritmo cardíaco normal; é vital para muitas funções metabólicas, como a ativação de enzimas para o metabolismo adequado de proteínas e carboidratos para a produção de energia; é um constituinte dos ossos e dos dentes; é importante para o metabolismo do fósforo, cálcio, potássio, sódio, vitaminas do complexo B e vitaminas C e E; é necessário na produção de testosterona e progesterona; é essencial para o batimento cardíaco normal, para a transmissão nervosa, para o crescimento ósseo, para a temperatura corporal e para a saúde arterial; em equilíbrio adequado com o cálcio, é importante para as contrações neuromusculares e é vital para a produção de DNA e RNA; é útil na prevenção de AVC.

MODULAÇÃO NUTRICIONAL 117

SUBSTÂNCIA ATIVA	FONTE ALIMENTAR	INDICAÇÃO
Manganês (Mn)	Abacate, cevada, feijão, mirtilo, amoras, melaço, mirtilos, farelo, arroz integral, trigo sarraceno, castanhas, cravo, café, gemas de ovos, gengibre, vegetais de folhas verdes, avelãs, algas, legumes, nozes, aveia, amendoim, ervilhas, nozes, abacaxis, farelo de arroz, algas marinhas, sementes, espinafre, farelo de trigo, gérmen de trigo, cereais integrais.	É um cofator em muitos sistemas enzimáticos, incluindo aqueles envolvidos na formação óssea, na produção de energia e no metabolismo de proteínas, carboidratos e gorduras; é essencial para a utilização de colina, tiamina, biotina e vitaminas C e E; é necessário no metabolismo de acetilcolina; aumenta o relaxamento do músculo liso.
Molibdênio (Mo)	Cevada, feijão, trigo sarraceno, vegetais de folhas verdes, legumes, lentilhas, feijão, fígado, carnes, leite, ervilhas, sementes de girassol, grãos integrais, levedura.	É necessário para o crescimento e desenvolvimento adequados, bem como para o metabolismo de gorduras, ácidos nucleicos, nitrogênio, cobre e enxofre. Contribui para a normalidade das funções celulares; é um cofator em sistemas enzimáticos envolvidos no metabolismo de carboidratos, gorduras, proteínas, aminoácidos, enxofre, ácidos nucleicos (DNA, RNA) e ferro; ajuda a prevenir cáries; auxilia na prevenção de cânceres (esôfago, estômago), ajuda a desintoxicar ou eliminar sulfitos nocivos do corpo.
Fósforo (P)	Carne bovina, farelo, erva de repolho, queijo, milho, cacau, produtos lácteos, ovos, peixe, frutas, alho, legumes, fígado, carne, nozes, amendoim, aves, sementes de abóbora, soja, sementes de girassol, farelo de trigo, gérmen de trigo, grãos integrais.	É importante para manter o equilíbrio com cálcio e magnésio; desempenha um papel em todas as reações metabólicas no corpo e é importante para o metabolismo de gorduras, carboidratos e proteínas para o crescimento adequado e a produção de energia.
Potássio (K)	Amêndoas, damascos, abacates, bananas, carne bovina, farelo, castanha-do-brasil, fermento de cerveja, brócolis, arroz integral, castanha de caju, acelga, frutas cítricas, laticínios, tâmaras, figos, peixe, frutas, alho, suco de toranja, vegetais de folhas verdes, goiaba, legumes, lentilhas, melaço, nectarina, nozes, laranjas, salsa, amendoim, pêssegos, carne de porco, batatas, aves, passas, farelo de arroz, sardinhas, algas marinhas, soja, espinafre, abóbora, sementes de girassol, suco de tomate, vitela, farelo de trigo, grãos integrais, inhame.	É um eletrólito necessário para manter o equilíbrio de fluidos, batimentos cardíacos normais e transmissão nervosa; é necessário para o bom funcionamento das glândulas suprarrenais; promove contrações musculares adequadas, pressão arterial normal; aumenta o metabolismo; é útil na prevenção de AVC; tem efeito antidepressivo, anti-hipertensivo e antiespasmódico.

SUBSTÂNCIA ATIVA	FONTE ALIMENTAR	INDICAÇÃO
Selênio (Se)	Cevada, cerveja, melaço, farelo, castanha-do-brasil, levedura de cerveja, brócolis, arroz integral, manteiga, repolho, aipo, cereais, frango, vinagre de cidra, canela, caranguejo, pepinos, produtos lácteos, ovos, alho, grãos, vegetais de folhas verdes, hibisco, cordeiro, fígado, lagosta, carnes, leite, cogumelos, noz-moscada, nozes, aveia, cebolas, frutos do mar, acelga, atum, nabos, farelo de trigo, gérmen de trigo, grãos integrais.	É um antioxidante que protege a vitamina E da degradação; ajuda a construir o sistema imunológico, destruindo os radicais livres; auxilia na produção de anticorpos; fortalece as células de energia do coração, certificando-se de que elas obtenham oxigênio suficiente; é útil na prevenção de AVC; ajuda a proteger o organismo dos efeitos do arsênico, do cádmio e do mercúrio; compõe a glutationa peroxidase, protegendo os tecidos dos efeitos da oxidação de ácidos graxos poli-insaturados.
Silício (Si)	Alfafa, beterraba, pimentão, arroz integral, raiz de equinácea, vegetais de folhas verdes, fígado, leite materno, soja, grãos integrais.	É um antiarteriosclerótico (previne a formação de placas de gordura nos vasos sanguíneos); é necessário para a estrutura óssea, para o crescimento e para a produção de colágeno no tecido conjuntivo; é importante para a formação saudável de unhas, pele, cabelo e ossos; ajuda a manter as artérias saudáveis e previne doenças cardiovasculares; neutraliza os efeitos da toxicidade do alumínio e melhora a ingestão de cálcio.
Sódio (Na)	Anchovas, bacon, carne bovina, mortadela, farelo, manteiga, bacon canadense, carne enlatada, feijão verde, azeitonas verdes, presunto, algas, manteiga carne, leite, aves, rosa mosqueta, sal, sardinha, frutos do mar, tomates.	É necessário para o equilíbrio adequado da água no corpo, a transição de fluidos através das paredes celulares e a manutenção do pH sanguíneo adequado; trabalha em conjunto com o potássio para balanços de fluidos extracelulares; contribui para a digestão adequada no estômago; atua na função nervosa e nas contrações musculares; ajuda a manter o sangue solúvel e auxilia no processo de limpeza do dióxido de carbono do corpo.
Enxofre (S)	Feijão, couve-de-bruxelas, repolho, lacticínios, ovos, peixe, alho, carne, leite, cebola, soja, nabos, trigo, couve, brócolis.	É encontrado nos aminoácidos cisteína, cistina e metionina, como também nas células, na hemoglobina, no colágeno, na queratina, na insulina, na heparina, no cabelo, na pele, nas unhas, entre muitas outras estruturas biológicas; participa na síntese do colágeno e no metabolismo de várias vitaminas, incluindo tiamina, biotina e ácido pantotênico; é necessário para a respiração celular; ajuda no metabolismo dos carboidratos; auxilia no processo de desintoxicação, convertendo toxinas em formas não tóxicas; auxilia na secreção biliar.

SUBSTÂNCIA ATIVA	FONTE ALIMENTAR	INDICAÇÃO
Zinco (Zn)	Feijão, carne bovina, mirtilo, melaço, levedura de cerveja, coração de galinha, caranguejo, gema de ovo, peixe, arenque, cordeiro, legumes, fígado, leite, ostras, amendoim, carne de porco, aves, sementes de abóbora, , frutos do mar, sementes de gergelim, soja, sementes de girassol, peru, farelo de trigo, gérmen de trigo, grãos integrais, levedura.	É importante para a absorção e ação das vitaminas do complexo B; participa da síntese de proteínas e da formação de colágeno; favorece a manutenção de sistema imunológico saudável e o processo de cicatrização; impede a 5-alfa redutase de converter testosterona em di-hidrotestosterona (DHT), uma forma de testosterona que pode promover o crescimento da próstata; aumenta a testosterona e a contagem de espermatozoides; se existe uma deficiência de zinco o desejo sexual é reduzido a fim de conservar o zinco, que está concentrado no sêmen; participa da síntese de proteínas, da contração muscular, da formação de insulina, da manutenção do equilíbrio ácido-base, da síntese de DNA e das funções cerebrais.

As opiniões irão diferir sobre quais vitaminas, minerais e fitonutrientes tomar e as quantidades necessárias, pois cada pessoa tem uma necessidade nutricional específica, de acordo com sua idade, sexo, estado de saúde e estilo de vida. Por isso, é recomendado consultar um médico ou um nutricionista antes de iniciar qualquer suplementação vitamínica ou mineral.

Além disso, a terapia de modulação hormonal isomolecular (bioidêntica) é uma ferramenta importante para mulheres e homens, especialmente acima de 50 anos. Essa terapia consiste em repor hormônios que diminuem com o avanço da idade, como o estrogênio, a progesterona e a testosterona. Esses hormônios são produzidos em laboratório a partir de substâncias naturais e têm uma estrutura química idêntica à dos hormônios produzidos pelo corpo humano. Essa terapia visa melhorar a qualidade de vida e prevenir doenças crônicas.

8

ÁGUA

> **"**Mas aquele que beber da água que eu lhe der nunca terá sede; pelo contrário, a água que eu lhe der se fará nele uma fonte de água que jorre para a vida eterna.**"**

JOÃO 4:14

Beba água!

Certamente você já ouviu essa frase várias vezes, e esse é um dos melhores conselhos que alguém poderia receber. Sabe por quê? Um dos pilares da boa saúde é a ingestão de água pura e limpa. Como seu corpo é composto principalmente de água, a ingestão suficiente de água é necessária para todos os seus processos bioquímicos.

Além de ser a substância mais comum na Terra, a água também é conhecida por ser a molécula mais misteriosa, notável e fora do comum que conhecemos. Não há vida sem água e onde há água também haverá vida. A composição da água, 2 partes de hidrogênio e 1 parte de oxigênio foi descoberta pelo cientista inglês Henry Cavendish em 1781.

A água é uma pequena molécula em forma de V com um diâmetro de 2,75 angstrom. Vários modelos para a estrutura da água foram propostos. Um deles é aquele em que suas moléculas se ligam através de ligações de hidrogênio formando *clusters* ou aglomerados de moléculas de água. Uma molécula de água liga-se à outra quando os seus átomos de hidrogênio se ligam ao átomo de oxigênio de outra molécula de água. Essas ligações de hidrogênio podem ser mais fracas ou mais fortes, dependendo do ângulo V dos dois átomos de hidrogênio em cada molécula de água e da distância e conformação das moléculas de água sob a interferência de substâncias estruturadoras (cosmotropos) ou desestruturadoras (caótropos). Essas características químicas e físicas fazem com que as moléculas se comportem da maneira mais anômala e imprevisível que podemos imaginar.

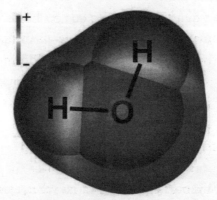

Figura 1: Forma aproximada da molécula de água com a distribuição das cargas (Martin Chaplin).

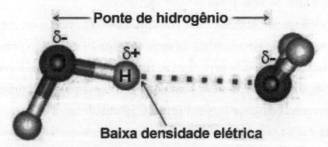

Figura 2: Ponte de hidrogênio entre duas moléculas de água: (H2O)2 (Martin Chaplin).

O corpo humano é composto por 60% de água (42 litros no ser humano de 70 kg com massa magra normal e 12% de gordura), com distribuição aproximada de 5% no espaço intravascular (cerca de ou 3,5 litros), 15% no espaço intersticial (cerca de 10,5 litros) e os 28 litros restantes no espaço intracelular. Pode-se dizer que somos um aquário ambulante!

Contudo, nós, médicos, tendemos a considerar a água somente como um volume, como um conteúdo que ocupa um determinado recipiente. Não reconhecemos que a água é também matéria, matriz da vida, veículo de informação e agente homeostático. Esse aspecto da água não é abordado na Faculdade de Medicina, mas nunca é tarde para aprendermos que os três elementos fundamentais da vida são: Matéria — Informação — Energia.

É o caráter anômalo da água que a torna a substância mais importante do nosso corpo. Sua estrutura molecular é responsável pela vida como a conhecemos, permitindo que as células sejam capazes de executar funções como:

- Manter a estrutura do DNA e RNA.
- Manter a estrutura de enzimas e proteínas.
- Estabilizar, manter e proteger a membrana citoplasmática e mitocondrial.
- Interferir no ritmo das reações químicas intracelulares.
- Transmitir informações.

Não poderia deixar de citar o pesquisador japonês Masaru Emoto, que em seu livro *As mensagens da água* demonstrou que a exposição da água a diferentes sons, palavras, pensamentos e sentimentos pode alterar sua estrutura molecular. A técnica consistia em expor a água a esses agentes, congelá-la e depois fotografar os cristais que se formam com o congelamento. Segundo Emoto, a água exposta a vibrações positivas (oração, palavras de gratidão, música clássica, água de nascentes naturais) formaria cristais mais harmoniosos e belos do que os cristais formados na água exposta a vibrações negativas (raiva, rancor, música heavy-metal, água destilada ou poluída), onde padrões desestruturados eram formados.

Propriedades físicas e químicas da água

Veja a seguir as propriedades da água. Algumas das características apresentadas são amplamente conhecidas pela maioria das pessoas, outras, porém, são mais específicas e dificilmente são levadas em consideração.

1. É incolor

"Aproximemo-nos com um coração sincero, em plena certeza de fé, tendo o coração purificado de má consciência e o corpo lavado com água pura" (Hebreus 10:22, NAA).

À primeira vista, a água do mar ou de um rio muitas vezes apresenta uma tonalidade verde-azul ou até marrom, isso se deve à maneira como água reflete a luz. No entanto, a água não possui cor (a menos que esteja misturada com outra substância), sendo transparente aos nossos olhos.

2. Não tem sabor ou cheiro

"Por acaso pode a fonte jorrar do mesmo lugar água doce e água amarga?" (Tiago 3:11, NAA).

A água é uma substância naturalmente isenta de sabor e odor. Quando apresenta qualquer uma dessas características, significa que sofreu algum tipo de adulteração (por exemplo, adição de aromas) ou, durante o percurso para chegar até nós, teve contato com partículas de outros elementos (por exemplo, frutas ou outros alimentos, minerais, poluentes).

3. É encontrada na natureza em três estados

"Ele atrai para si as gotas de água que de seu vapor destilam em chuva, a qual as nuvens derramam e gotejam sobre a terra em grande abundância" (Jó 36:27-28, NAA).

A maioria das substâncias químicas são encontradas na natureza em um estado específico da matéria. No caso da água, podemos observá-la facilmente em qualquer um dos estados: nos mares, nos rios e na chuva, observamos a água em seu estado líquido; no vapor d'agua, contatamos a sua forma gasosa; no gelo e na neve é possível perceber a água em sua forma sólida.

4. Possui uma temperatura de transformação fixa

"De que ventre procede o gelo? E quem dá à luz a geada do céu? As águas ficam duras como a pedra, e a superfície das profundezas se torna compacta" (Jó 38:29,30, NAA).

A água possui pontos de evaporação e congelamento constantes, isso quer dizer que ela evapora e congela a temperaturas específicas: a água congela a 0°C e ferve a 100°C.

5. É um solvente

"Então aspergirei água pura sobre vocês, e vocês ficarão purificados. Eu os purificarei de todas as suas impurezas e de todos os seus ídolos" (Ezequiel 36:25, NAA).

Popularmente, a palavra "solvente" é usada para designar outras substâncias, mas a verdade é que, em um nível químico, a água age como um solvente quase universal, pois a água pode dissolver muitas substâncias, alterando sua estrutura e suas propriedades.

6. Possui carga elétrica neutra

"[...] ao cheiro das águas brotará e dará ramos como a planta nova" (Jó 14:9, NAA).

Os átomos de uma molécula de água têm uma carga elétrica neutra, embora isso não signifique que seus componentes não tenham carga, mas que geralmente seja equilibrado. Normalmente, cada molécula consiste em uma dúzia de prótons e elétrons, nos quais os elétrons se concentram próximos ao oxigênio. Assim, ao redor do oxigênio, a carga elétrica tende a ser um pouco mais negativa, enquanto perto do hidrogênio é mais positiva.

7. Densidade estável

"As águas ficam duras como a pedra, e a superfície das profundezas se torna compacta" (Jó 38:30, NAA).

A água possui uma densidade muito estável, independentemente da sua situação ambiental. Uma água pura e sem qualquer outro componente (isto é, destilada, sem adição de minerais) tem uma densidade de 1 kg/l. No entanto, normalmente quando está no estado líquido a uma temperatura de cerca de 20°C, tem uma densidade de 0,997-0,998 kg/l, que é superior à densidade do gelo (geralmente de 0,917 kg/l).

8. Baixa condutividade elétrica

"[...] para que a santificasse, tendo-a purificado por meio da lavagem de água pela palavra" (Efésios 5:26, NAA).

É provável que você já tenha ouvido falar de algum caso de morte por choque elétrico ou acidente doméstico envolvendo água e eletricidade. Nesses casos, é preciso considerar que a culpada não é a água em si, mas os diversos sais e outros componentes que ela transporta. A água destilada, obtida em laboratório, não conduz eletricidade, mas é isolante, pois não possui elétrons livres que possam transmiti-la. No entanto, a água que bebemos, que usamos para tomar banho e que encontramos em rios e mares é condutora de eletricidade, pois contém uma grande quantidade de minerais e outros componentes com potencial condutor.

9. pH relativamente neutro

"Há um rio, cujas correntes alegram a cidade de Deus, o santuário das moradas do Altíssimo" (Salmos 46:4, NAA).

ÁGUA 127

Outra característica da água é que, em geral, ela possui um pH neutro ou quase neutro, variando entre 6,5 e 9 (um pH totalmente neutro seria 7), a depender do solo, da vegetação circundante, das variações sazonais e climáticas, e até mesmo do tempo de resposta de um dia à luz do Sol.

O conceito de acidez ou alcalinidade de seu corpo — ou de água — é baseado na escala de pH. Por isso, é necessário ter uma compreensão básica do que é pH. O pH diz respeito a uma medida da concentração de íons de hidrogênio: quanto mais íons de hidrogênio livres em uma substância, menor o pH; quanto menos íons de hidrogênio livres em uma substância, maior o pH. Uma unidade de pH reflete uma mudança de dez vezes na concentração de íons de hidrogênio (por exemplo, há dez vezes mais íons de hidrogénio disponíveis em um pH 7 do que em um pH 8).

Então, quais são as recomendações para melhorar o pH da água potável? A OMS publicou um documento de quase 600 páginas com o título *Guidelines for the Quality of Drinking Water* [Diretrizes para a qualidade de água potável]. Curiosamente, não há nesse documento qualquer recomendação quanto o pH da água, portanto *não existem diretrizes de saúde baseadas no pH da água.*

Como acontece com muitas coisas, no final é uma questão de equilíbrio. A água que é muito ácida ou alcalina pode ser prejudicial para a saúde humana e levar ao desequilíbrio nutricional. O que precisamos é água viva — água que é limpa, equilibrada e saudável; nem muito alcalina, nem muito ácida. Idealmente, o pH da água utilizada deve estar próximo de 7, que é neutra, porém um pH entre 6 e 8 (que encontramos na natureza) manterá os benefícios da água.

10. Participa de múltiplas reações químicas

"Jesus lhes disse: — Encham de água esses potes. E eles os encheram totalmente" (João 2:7, NAA).

Um aspecto importante a se considerar é o elevado grau de interação da água com outros elementos, de modo que produz diferentes reações químicas e se integra a diferentes processos ou substâncias. Ela é capaz de ligar-se a tipos diferentes de substâncias com características químicas distintas, como glicose, etanol, acetona, sal de cozinha, sabões (detergentes), lipídios de membranas, proteínas etc.

11. Regula a temperatura

"Como água fria para quem tem sede, assim é a boa notícia que vem de um país distante" (Provérbios 25:25, NAA).

Outra propriedade interessante e bem conhecida da água é a sua capacidade de regular a temperatura. A água é capaz de reter o calor, esfriando mais lentamente do que outras substâncias; por outro lado, leva mais tempo para ser aquecida.

Água estruturada X Água desestruturada

Segundo estudos da pesquisadora australiana Philippa Wiggins, uma das maiores autoridades no estudo da água e de suas propriedades, no meio intracelular dos mamíferos coexistem dois tipos de água que, para fins didáticos, podemos chamá-los de água A (não estruturada) e água B (estruturada).[1]

- *Água A (não estruturada)* — possui alta densidade. É ativa e fluida porque tem ligações de hidrogênio fracas. Não possui estrutura (não estruturada), caracterizando-se por pequenos *clusters*. É a água predominante nas células em proliferação.

· · · · · · · ·

[1] WIGGINS, P. M. Role of water in some biological processes. *Microbiological Reviews*, v. 54, p. 432-449, 1990. 02. WIGGINS P. M. High and low density intracellular water. *Cellular and Molecular biology tm*, v. 47 n. 5, p. 735-744, 2001; WIGGINS P. M. Water structure as a determinant of ion distribution in living tissue. *J. theor. Biol.* 32,131-146; 1971; WIGGINS, P. M. High and low density water and resting, active and transformed cells. *Cell Biol. Inm.* v. 20, p. 429-435, 1996; WIGGINS, P. M. Role of water in some biological processes. *Microbiol. Rev.* v. 54, p. 432-449, 1990.

- *Água B (estruturada)* — possui baixa densidade; é inativa e viscosa porque têm fortes ligações de hidrogênio. Possui estrutura, caracterizando-se por *clusters* maiores. É a água predominante em células em estado quiescente, sem proliferação.

Na fisiologia normal, os dois tipos de água coexistem em equilíbrio dinâmico, de acordo com as necessidades metabólicas da célula naquela determinada condição e naquele determinado momento.

Para que as células funcionem bem, elas precisam do equilíbrio intracelular entre a água estruturada e a água não estruturada. O padrão de envelhecimento saudável se dá quando ocorre o predomínio de água estruturada em nosso organismo, pois com suas ligações de hidrogênio bastante fortes ocorre a manutenção das estruturas de enzimas, membranas, DNA e RNA que faz com que todos os elementos celulares funcionem de forma harmoniosa, cooperativa e saudável.

Qual é o filtro ideal para se ter em casa?

Um filtro de água ideal é aquele que remove impurezas e elimina pesticidas, alumínio, chumbo, cloro e outras substâncias tóxicas da água. Existem diferentes tipos de filtros de água, cada um com suas vantagens e desvantagens. Alguns dos mais comuns são:

- *Filtro purificador* — é um filtro elétrico que combina diferentes métodos de filtragem e purificação da água, como carvão ativado, polipropileno e luz UV. Ele pode oferecer água em diferentes temperaturas e eliminar a maioria das impurezas. Porém, ele é mais caro e requer manutenção frequente.
- *Filtro de barro* — é um dos mais eficientes na retenção de bactérias e cloro, além de manter a água fresca e alcalina. Porém, é frágil e ocupa bastante espaço.

- *Filtro de água Soma* — é um filtro sustentável feito de materiais naturais, como casca de coco e seda. Ele reduz o cloro, o cobre e o mercúrio da água. Porém, não elimina bactérias nem vírus.
- *Filtro de osmose inversa* — é um filtro elétrico que usa uma membrana semipermeável para remover da água partículas muito pequenas, como sais, metais pesados e microrganismos. Porém, ele consome muita energia e desperdiça muita água no processo.
- *Filtro de água de luz ultravioleta* — é um filtro elétrico que usa radiação UV para matar bactérias, vírus e protozoários da água. Porém, ele não remove partículas sólidas nem cloro.
- *Filtro de água de carbono* — é um filtro que usa carvão ativado para absorver impurezas químicas da água, como chumbo, compostos orgânicos e cloro. Porém, ele não elimina microrganismos nem minerais.
- *Filtro de água ozonizador* — é um filtro elétrico que usa ozônio (O_3) para desinfetar a água e eliminar bactérias, fungos e vírus. Porém, ele não remove partículas sólidas nem cloro.
- *Filtro de água central* — é um filtro que é instalado na entrada da rede de abastecimento da casa ou do prédio. Ele pode usar diferentes materiais filtrantes, como areia, quartzo ou carvão ativado. Ele melhora a qualidade da água em todos os pontos de consumo. Porém, ele não elimina totalmente as impurezas nem os microrganismos.

E a melhor garrafa de água?

O melhor material para garrafa de água depende de alguns fatores, como a durabilidade, a resistência, a higiene, a segurança e o impacto ambiental. Existem diferentes tipos de materiais usados para fabricar garrafas de água, cada um com suas vantagens e desvantagens. Alguns dos materiais mais comumente usados são:

- *Plástico* — é um material leve e barato, mas menos durável. Pode conter BPA ou outros microplásticos que podem contaminar a água e causar problemas de saúde. Além disso, pode poluir o meio ambiente se não for descartado corretamente.

- *Alumínio* — é um material durável e mais sustentável que o plástico, mas pode ser amassado facilmente. Pode conter BPA em seu interior ou em seu revestimento, que pode se soltar com o tempo e contaminar a água.
- *Aço inoxidável* — é um material extremamente durável e sem BPA em sua composição. É fácil de limpar e não reage com a acidez da água. Além disso, é reciclável e mais ecológico que o plástico e o alumínio.
- *Vidro* — é um material natural e seguro, pois não libera químicos nem altera o sabor da água. É higiênico e fácil de lavar. Porém, é mais pesado e frágil que os outros materiais.

Para escolher o melhor material para garrafa de água, você deve considerar as suas necessidades e preferências, como o tamanho, o peso, a temperatura, o design e o preço da garrafa.

5 curiosidades sobre a água que não devemos esquecer

1. Nosso corpo é composto por aproximadamente 70% de água: os músculos têm 75% de água; os neurônios são compostos de 85% de água; o sangue é composto de 82% de água e os ossos têm 25% de água.
2. A cápsula articular, que é a responsável por absorver o impacto de todos os nossos movimentos e impedir lesões nos ossos e tendões, tem a consistência de um gel e é composta por 90% a 95% de água. Sendo assim, com hidratação adequada, os espaços das articulações são lubrificados, ajudando a prevenir artrose e osteoartrose.

3. A água aumenta a eficiência do sistema imunológico.

4. A água é a base de todo fluido digestivo. Sem a quantidade de água adequada podemos ter azia, indigestão, constipação, hemorroidas e até úlceras.

5. A água rejuvenesce a pele. Sem água, a pele sofre um envelhecimento precoce.

Água: o quanto ingerir?

Para determinar a quantidade diária de água que você necessita, multiplique o seu peso em quilos por 0,035. O resultado é a quantidade de litros de água que seu organismo precisa todos os dias. Geralmente, o valor corresponde a cerca de 2 a 3 litros por dia. Por exemplo, alguém que pesa 100 kg precisará de 3,5 litros de água por dia.

Como ingerir toda essa quantidade? Até criar a rotina, você pode se programar para beber água nos seguintes horários (Exemplo para uma pessoa que pesa 83 quilos):

- 07h00 — ou ao acordar, 250 ml.
- 09h30 — ou duas horas após o café da manhã, 250 ml.
- 10h30 — ou uma hora depois, 250 ml.
- 11h30 — ou uma hora depois, 250 ml.
- 12h00 — ou meia hora antes do almoço, 250 ml.
- 14h30 — ou duas horas após o almoço, 250 ml.
- 15h30 — ou uma hora depois, 250 ml.
- 16h30 — ou uma hora depois, 250 ml.
- 17h30 — ou uma hora depois, 250 ml.
- 18h30 — ou uma hora depois, 250 ml.
- 19h30 — ou uma hora depois, 250 ml.
- 20h30 — ou uma hora depois, 250 ml.
- 21h30 — ou uma hora depois, 250 ml.

ÁGUA 133

Que sua única sede seja da presença de Deus!

"Ó Deus, tu és o meu Deus; procuro estar na tua presença. Todo o meu ser deseja estar contigo; eu tenho sede de ti como uma terra cansada, seca e sem água" (Salmos 63:1, NTLH).

9

SONO

66 Eu me deito, e durmo tranquilo, e depois acordo; porque o senhor me protege. 99

SALMOS 3:5, NTLH

Mais da metade dos adultos brasileiros sofre episódios de insônia. Com isso, mais de 50% da população brasileira lida com um quadro de sonolência durante o dia. Vivemos em um mundo onde não há mais diferença entre o dia e a noite. Porém, essa não é a maneira pela qual nosso corpo ou nossa mente foram feitos para operar, porque o período do sono é como um parque de diversões que fecha à noite para passar pela "manutenção", na qual o lixo e as prováveis situações perigosas para a saúde serão eliminados.

O que a Bíblia fala sobre o sono

A Bíblia aborda o sono de várias formas e em diferentes contextos. O sono pode ter os seguintes significados na Bíblia:

1. *Sono físico* — é o sono natural que vem do cansaço físico e do desgaste do dia a dia. Esse tipo de sono é uma necessidade do corpo humano e uma bênção de Deus, pois concede o descanso e a restauração ao

136 RUMO AOS 120 ANOS

trabalhador. A Bíblia valoriza o sono físico como um dom de Deus, mas
também alerta contra o excesso de sono, que pode ser sinal de preguiça
e levar à pobreza. O sono físico também pode ser perturbado por fatores
como ansiedade, culpa ou medo.

Se não for o Senhor o construtor da casa, será inútil trabalhar na construção.
Se não é o Senhor que vigia a cidade, será inútil a sentinela montar guarda.
Será inútil levantar cedo e dormir tarde, trabalhando arduamente por ali-
mento. O Senhor concede o sono àqueles a quem ele ama (Salmos 127:1-2).

Quando você andar, eles o guiarão; quando dormir, o estarão protegendo;
quando acordar, falarão com você (Provérbios 6:22).

2. *Sono espiritual* — é o sono simbólico que representa a falta de entendimento, de vigilância e de comunhão com Deus. Trata-se de uma condição de cegueira, apatia e indiferença diante das coisas de Deus. A Bíblia
adverte contra esse tipo de sono, que pode levar ao engano, ao pecado e à
morte eterna. O sono espiritual também pode ser interrompido por Deus,
que desperta o seu povo para a sua vontade e para a sua salvação.

Desperta, ó tu que dormes, levanta-te dentre os mortos e Cristo resplande-
cerá sobre ti (Efésios 5:14).

3. *Sono da morte* — é o sono metafórico que se refere à morte física
dos seres humanos. O sono da morte é uma consequência do pecado,
que separa o homem de Deus e da vida. A Bíblia reconhece esse tipo de
sono como uma realidade triste e dolorosa, mas também como uma esperança para os que creem em Deus. O sono da morte não é o fim, mas
uma transição para a ressurreição e para a vida eterna.

E muitos dos que dormem no pó da terra ressuscitarão, uns para a vida eterna, e outros para vergonha e desprezo eterno (Daniel 12:2).

SONO 137

Eis que eu lhes digo um mistério: nem todos dormiremos, mas todos seremos transformados (1Coríntios 15:51).

Nosso organismo foi programado para ter um sono profundo e restaurador: "Em paz me deitarei e dormirei, porque só tu, Senhor, me fazes habitar em segurança" (Salmos 4:8, ARC).

Alguns cristãos dizem coisas absurdas sobre a oração e o sono. Por exemplo, já ouvi alguém dizer que prefere orar de madrugada porque tem menos gente na fila. Outro disse que não dorme porque o guarda de Israel também não dorme nem cochila. Essas pessoas parecem desprezar o sono como se fosse uma perda de tempo ou uma fraqueza. Essas pessoas não sabem que o Senhor valoriza o sono como um momento precioso em que Ele nos fala e nos abençoa. Veja o que a Bíblia diz a respeito disso:

Os obstinados que retardam seu sono até alta noite, acordam antes do amanhecer e idolatram o trabalho, não alcançarão os bens que o Eterno concede aos que o amam, mesmo quando estes estão repousando (Salmos 127:2b, KJA).

Pelo contrário, Deus fala de um modo, sim, de dois modos, mas o homem não atenta para isso. Em sonho ou em visão de noite, quando o sono profundo cai sobre as pessoas, quando adormecem na cama, então lhes abre os ouvidos e lhes sela a sua instrução, para afastar o ser humano dos seus planos e livrá-lo do orgulho (Jó 33:14-17, NAA).

Por que dormir bem é importante para a sua saúde?

Dormir bem é essencial para o bom funcionamento tanto do corpo como da mente e beneficia a saúde. Veja alguns desses benefícios:

- *Melhora a saúde mental* — o estresse é um problema que afeta muitas pessoas e tem o potencial de prejudicar a saúde. Durante o sono, o corpo produz menos hormônios que causam estresse, como o cortisol e a adrenalina. Isso ajuda a relaxar o corpo e a mente, e a diminuir a pressão arterial. Segundo um estudo publicado em 2021, a melhoria do sono levou a um efeito significativo na depressão, ansiedade, estresse.[1]

- *Controla o apetite* — o apetite é regulado por hormônios que são afetados pelo sono. Ao dormir bem, o seu corpo produz mais leptina, que é o hormônio que dá a sensação de saciedade. Por outro lado, quando você dorme mal, o seu corpo produz mais grelina, que é o hormônio que estimula a fome. Isso faz com que você sinta mais vontade de comer e consuma mais calorias durante o dia. Um estudo de 2014 mostrou que dormir mal aumenta o IMC (Índice de Massa Corpórea).[2]
- *Ativa a memória* — a memória é uma função essencial do cérebro que depende do sono para ter um bom desempenho. Quando você dorme, o seu cérebro processa e guarda as informações e os sentimentos do dia. Isso melhora a capacidade de aprender e de lembrar das coisas. Além disso, durante o sono REM, que é a fase mais profunda do sono, o cérebro também processa as emoções e ajuda a esquecer os momentos ruins. Um estudo da Universidade de Lübeck mostrou que dormir bem pode melhorar em até 40% a memória.[3]
- *Estimula o raciocínio* — o raciocínio é outra função importante do cérebro que é beneficiada pelo sono. Uma noite de sono adequada

---

[1] Scott AJ, Webb TL, Martyn-St James M, Rowse G, Weich S. Improving sleep quality leads to better mental health: A meta-analysis of randomised controlled trials. Sleep Med Rev. 2021 Dec. 60:101556. doi: 10.1016/j.smrv.2021.101556. Epub 2021 Sep 23. PMID: 34607184; PMCID: PMC8651630.

[2] Bayon V, Leger D, Gomez-Merino D, Vecchierini MF, Chennaoui M. Sleep debt and obesity. Ann Med. 2014 Aug;46(5):264-72. doi: 10.3109/07853890.2014.931103. Epub 2014 Jul 11. PMID: 25012962.

[3] Rasch B, Born J. About sleep's role in memory. Physiol Rev. 2013 Apr;93(2):681-766. doi: 10.1152/physrev.00032.2012. PMID: 23589831; PMCID: PMC3768102.

promove a melhora da cognição, que envolve a capacidade de pensar, de prestar atenção, de resolver problemas e de tomar decisões. Quando o sono é inadequado, a tendência é que você fique mais distraído e, consequentemente, cometa mais erros. Um estudo publicado em 2009 mostrou que dormir mal pode reduzir em até 50% a capacidade cognitiva.[4]

- *Rejuvenesce a pele* — a pele é o maior órgão do corpo e também depende de um sono adequado para se manter saudável e bonita. Quando você dorme bem, as células da pele são renovdas, promovendo a diminuição de marcas de envelhecimento, como rugas e linhas de expressão. Além disso, o sono adequado também diminui os níveis de cortisol, que é um hormônio que pode causar inflamação e acne na pele. Um estudo de 2015 indica que a má qualidade crónica do sono está associada ao aumento dos sinais de envelhecimento intrínseco, à diminuição da função da barreira cutânea e à menor satisfação com a aparência.[5]

- *Fortalece a imunidade* — a imunidade é a capacidade do corpo de se defender de doenças e infecções. Dormir bem fortalece o sistema imune, pois nesse caso o corpo produz mais proteínas que ajudam a combater os agentes invasores, principalmente em situações de estresse. Um estudo de 2012 mostrou que o sono tem um papel específico na formação da memória imunológica.[6]

- *Previne doenças cardíacas* — as doenças cardíacas são as principais causas de morte no mundo e podem ser prevenidas com um bom

....

[4] Walker MP. The role of sleep in cognition and emotion. Ann N Y Acad Sci. 2009 Mar;1156:168-97. doi: 10.1111/j.1749-6632.2009.04416.x. PMID: 19338508.

[5] Oyetakin-White P, Suggs A, Koo B, Matsui MS, Yarosh D, Cooper KD, Baron ED. Does poor sleep quality affect skin ageing? Clin Exp Dermatol. 2015 Jan;40(1):17-22. doi: 10.1111/ced.12455. Epub 2014 Sep 30. PMID: 25266053.

[6] Besedovsky L, Lange T, Born J. Sleep and immune function. Pflugers Arch. 2012 Jan;463(1):121-37. doi: 10.1007/s00424-011-1044-0. Epub 2011 Nov 10. PMID: 22071480; PMCID: PMC3256323.

sono. A duração insuficiente do sono está associada ao ganho de peso e obesidade, inflamação, doenças cardiovasculares, diabetes e mortalidade. A insônia também está altamente presente e representa um importante fator de risco para doenças cardiovasculares, principalmente quando acompanhada de curta duração do sono. A apneia do sono é um fator de risco bem caracterizado para doenças cardiometabólicas e mortalidade cardiovascular. Dormir bem ajuda a manter a pressão arterial em bons níveis e evita problemas no sangue, como colesterol e triglicerídeos altos. Esses fatores podem causar problemas no coração e nos vasos sanguíneos. Por isso, dormir de forma adequada é um meio de cuidar do coração e da saúde.[7]

- *Melhora o desempenho físico* — outro benefício de dormir bem é que você fica mais disposto, com mais energia e coordenado para fazer atividades físicas. O sono ajuda a desenvolver a memória muscular, que é a capacidade do cérebro de aprender e executar habilidades motoras como tocar piano ou andar de bicicleta. Os efeitos da redução na qualidade e quantidade do sono pode resultar num desequilíbrio do sistema nervoso autónomo, simulando sintomas da síndrome do overtraining. Além disso, o aumento das substâncias pró-inflamatórias após a perda de sono pode promover disfunção do sistema imunológico. Outra preocupação é que numerosos estudos que investigam os efeitos da perda de sono na função cognitiva relatam um desempenho cognitivo mais lento e menos preciso. Por isso, usufruir de um período de sono de qualidade é uma forma de melhorar a sua forma física e a sua saúde.[8]

· · · · · · · ·

[7] Grandner MA, Alfonso-Miller P, Fernandez-Mendoza J, Shetty S, Shenoy S, Combs D. Sleep: important considerations for the prevention of cardiovascular disease. Curr Opin Cardiol. 2016 Sep;31(5):551-65. doi: 10.1097/HCO.0000000000000324. PMID: 27467177; PMCID: PMC5056590.

[8] Fullagar HH, Skorski S, Duffield R, Hammes D, Coutts AJ, Meyer T. Sleep and athletic performance: the effects of sleep loss on exercise performance, and physiological and cognitive responses to exercise. Sports Med. 2015 Feb;45(2):161-86. doi: 10.1007/s40279-014-0260-0. PMID: 25315456.

SONO 141

- *Promove a criatividade* — uma das vantagens de ter um sono de qualidade é que isso potencializa a criatividade, pois facilita o surgimento de associações inesperadas entre conceitos aparentemente desconexos. Durante o sono, especialmente nas fases de sono REM (movimento rápido dos olhos), o cérebro ativa redes neurais que normalmente não são ativadas quando estamos acordados. Isso pode levar a insights e soluções criativas para problemas que nos desafiam durante o dia. Sim, dormir bem também é uma forma de estimular a sua imaginação e contribuir para a sua saúde.[9]
- *Melhora a autoestima* — você sabia que um sono de qualidade ajuda a tornar você mais autoconfiante e favorece a autoestima? O sono ajuda a reduzir os níveis de estresse, ansiedade e depressão, e todos esses fatores podem afetar negativamente a sua autoestima. Além disso, um bom sono melhora a sua aparência física, pois a sua pele, o seu cabelo e os seus olhos ficam mais saudáveis e bonitos. Um estudo de 2013 mostrou que dormir bem pode melhorar em até 20% a autoestima. Sem dúvidas, dormir bem também é uma forma de cuidar da sua saúde mental e emocional.[10]

As fases do sono e suas funções

O sono é um estado de repouso e recuperação que envolve quatro fases diferentes: sono leve não REM de fase 1, sono leve não REM de fase 2, sono profundo não REM de fase 3 e sono REM. Cada fase tem características e funções específicas para a saúde física e mental.

....

[9] Walker MP. The role of sleep in cognition and emotion. Ann N Y Acad Sci. 2009 Mar;1156:168-97. doi: 10.1111/j.1749-6632.2009.04416.x. PMID: 19338508.

[10] Lemola S, Räikkönen K, Gomez V, Allemand M. Optimism and self-esteem are related to sleep. Results from a large community-based sample. Int J Behav Med. 2013 Dec;20(4):567-71. doi: 10.1007/s12529-012-9272-z. PMID: 23055029.

Fase 1 — sono leve não REM transição entre a vigília e o sono (quase dormindo). Nessa fase, a pessoa está quase dormindo, mas ainda pode acordar facilmente com barulhos ou toques. Caracteriza-se por respiração, batimentos cardíacos e movimentos dos olhos mais lentos, assim como os músculos ficam mais soltos. Essa fase dura uns 10 minutos. Nela, a pessoa pode nem saber que já está dormindo ou pode sentir que está caindo, como se estivesse em um elevador.

Fase 2 — sono leve não REM (preparação para o sono profundo). É quando o corpo está se preparando para entrar no sono profundo e por isso fica mais relaxado. O corpo fica mais frio, os olhos param de mexer e as ondas cerebrais diminuem, mas apresentam breves surtos de atividade elétrica que impedem o despertar. Esses surtos são como alarmes que mantêm o cérebro alerta para possíveis perigos. Essa parte dura entre 10 e 25 minutos na primeira vez que acontece à noite, mas pode durar mais nas outras vezes.

Fase 3 — sono profundo não REM e reparo do corpo. É quando o corpo está em sono profundo e não responde a barulhos ou toques; nessa fase, a mente fica desligada. O coração, a respiração e os músculos ficam mais relaxados, e o cérebro funciona mais lentamente. Essa etapa é importante porque nela ocorre o reparo do corpo, a produção do hormônio do crescimento (hGH), a criatividade e a defesa contra doenças. Nessa fase, o corpo recupera as energias gastas durante o dia e fortalece a defesa contra doenças. Pode durar entre 20 e 40 minutos nos primeiros ciclos, mas tende a durar menos nas outras vezes.

*Fase REM (*Rapid Eye Movement *ou movimento rápido dos olhos) — sonhos vivos e memória.* A fase REM é a última fase do ciclo do sono, nela ocorrem sonhos mais vívidos e intensos. (A diferença entre sonho e pesadelo está no tipo de conteúdo que o cérebro processa durante o sono. Os sonhos manifestam desejos e vontades, enquanto os pesadelos caracterizam-se por um conteúdo mais obscuro e assustador.) Os olhos se movem rapidamente de um lado para o outro, como se estivessem observando as cenas dos sonhos. Nesse período, o cérebro fica mais ativo e produz ondas rápidas e irregulares; já a respiração, os batimentos cardíacos e a pressão arterial apresentam um ritmo variado. Os músculos ficam paralisados temporariamente para evitar que a pessoa atue nos sonhos. Essa paralisia é um mecanismo de proteção que impede que a pessoa caia da cama ou se machuque enquanto sonha. Essa fase é importante para o desenvolvimento cognitivo, a consolidação da memória e o equilíbrio emocional. Nessa fase, o cérebro processa as informações aprendidas durante o dia e regula as emoções vivenciadas. Essa fase começa cerca de 90 minutos depois de adormecer e se repete várias vezes ao longo da noite, com duração cada vez maior.

O ciclo do sono é composto pela repetição dessas quatro fases ao longo da noite, sendo que cada ciclo dura em média entre 90 e 100 minutos. Um adulto normalmente tem entre quatro e seis ciclos de sono por noite, o que totaliza cerca de oito horas de sono. Para ter uma boa qualidade de sono, é importante respeitar as fases do sono e evitar interrupções ou privações que possam prejudicar o funcionamento do organismo.

O que são distúrbios do sono?

São alterações que afetam a forma como dormimos, seja em relação à quantidade, à qualidade ou ao horário do sono. Existem vários tipos de distúrbios do sono, e cada um dele tem suas próprias características. Alguns dos distúrbios mais comuns são:

- *Insônia* — é a dificuldade para pegar no sono ou para manter o sono durante a noite, ou ainda a sensação de não ter um sono reparador. A insônia pode ter diversas causas, como estresse, ansiedade, depressão, doenças físicas, uso de medicamentos ou substâncias estimulantes ou hábitos inadequados de sono. O tratamento da insônia pode incluir mudanças nos hábitos de vida, terapia cognitivo-comportamental e medicamentos hipnóticos ou sedativos.

144 RUMO AOS 120 ANOS

- *Apneia do sono* — é a interrupção da respiração durante o sono, devido ao fechamento das vias aéreas superiores. A apneia do sono pode causar roncos, sonolência diurna, cansaço, dor de cabeça, alterações de humor e problemas cardiovasculares. É mais comum em homens, obesos, fumantes e pessoas com alterações anatômicas no nariz, na boca ou na mandíbula. O tratamento da apneia do sono pode incluir perda de peso, uso de aparelhos bucais ou de pressão positiva contínua nas vias aéreas (CPAP).
- *Sonambulismo* — é um transtorno do comportamento que ocorre durante o sono profundo, em que a pessoa se levanta da cama e realiza atividades simples ou complexas sem ter consciência do que está fazendo. Pode ser desencadeado por privação de sono, estresse, febre, uso de álcool ou drogas ou doenças neurológicas. O tratamento do sonambulismo pode incluir medidas de segurança para evitar acidentes, higiene do sono e medicamentos hipnóticos ou antidepressivos.
- *Síndrome das pernas inquietas* — é um distúrbio neurológico que causa uma sensação desconfortável nas pernas, como formigamento, coceira ou dor, que melhora com o movimento. Essa sensação piora à noite e dificulta o início e a manutenção do sono. A síndrome das pernas inquietas pode estar associada à deficiência de ferro, insuficiência renal, diabetes, gravidez ou uso de certos medicamentos. O tratamento da síndrome das pernas inquietas pode incluir suplementos de ferro, medicamentos dopaminérgicos ou opioides.
- *Bruxismo* — é o ato de ranger ou apertar os dentes durante o sono, podendo causar desgaste dentário, dor na mandíbula, dor de cabeça e problemas na articulação temporomandibular. Pode estar relacionado a estresse, ansiedade, má oclusão dentária ou uso de substâncias estimulantes. O tratamento pode incluir uso de placas dentárias, terapia cognitivo-comportamental e medicamentos relaxantes musculares ou ansiolíticos.

- *Narcolepsia* — é um distúrbio crônico que causa sonolência excessiva durante o dia e ataques súbitos de sono involuntários em situações inadequadas. Pode se associar a perda do tônus muscular (cataplexia), alucinações hipnagógicas (experiências sensoriais vívidas e semelhantes a sonhos que ocorrem ao adormecer) ou paralisia do sono. Tem origem genética e está relacionada à deficiência do neurotransmissor hipocretina, também chamado orexina, que regula a excitação, a vigília e o apetite. O tratamento pode incluir medicamentos estimulantes ou antidepressivos.
- *Paralisia do sono* — é a incapacidade temporária de se mover ou falar ao adormecer ou ao despertar. Pode estar associada a alucinações visuais ou auditivas e sensação de medo ou sufocamento. Pode ocorrer isoladamente ou como sintoma da narcolepsia. Está relacionada à transição entre o sono REM e o sono não REM. O tratamento da paralisia do sono pode envolver higiene do sono, terapia cognitivo-comportamental e medicamentos antidepressivos.

Higiene do sono: como garantir uma boa noite de sono

Dormir adequadamente é tão importante quanto se alimentar bem e se exercitar. Portanto, é fundamental cuidar da higiene do sono, que é o conjunto de hábitos e práticas que visam melhorar a qualidade e a duração do sono.

A higiene do sono envolve desde a preparação do ambiente onde vamos dormir até a adoção de uma rotina regular e saudável que favoreça o relaxamento e o descanso. Veja algumas dicas de higiene do sono que você pode seguir:

- Mantenha horários regulares para dormir e acordar, mesmo nos fins de semana e feriados. Isso ajuda a regular o seu relógio biológico e facilita a chegada do sono;

- Evite consumir bebidas estimulantes, como café, chá, chocolate e refrigerantes, pelo menos seis horas antes de dormir. Essas substâncias podem interferir na qualidade e na profundidade do seu sono;
- Evite comer alimentos pesados, açucarados ou picantes no jantar. Eles podem causar indigestão, azia ou refluxo, o que pode atrapalhar o seu sono.
- Pratique exercícios físicos regularmente, mas não próximo do horário de dormir. A atividade física melhora a saúde e o bem-estar, mas se feita à noite pode deixar você muito alerta e agitado.
- Evite usar telas, como celular, televisão e tablet pelo menos uma hora antes de dormir. A luz azul emitida por esses aparelhos pode inibir a produção de melatonina, o hormônio do sono.
- Crie um ambiente confortável, silencioso e escuro para dormir. Use cortinas, tapa-olhos, protetores de ouvido ou outros recursos que possam bloquear ruídos e luzes externas.
- Use roupas adequadas e confortáveis para dormir. Prefira tecidos leves, soltos e que não causem alergias ou irritações na pele.
- Evite cochilar durante o dia. Se for necessário, limite o período de cochilo a 30 minutos após o almoço (a popular sesta) e evite fazê-lo no final da tarde. O cochilo pode ser benéfico se for curto e cedo, mas se for longo e tarde pode prejudicar o sono à noite.

Nutracêuticos (suplementos nutricionais) que auxiliam o sono

Existem alguns suplementos que podem ajudar a melhorar a qualidade do sono, seja por induzir o relaxamento, regular o ritmo circadiano ou aumentar a produção de melatonina, o hormônio do sono. Alguns exemplos de suplementos que ajudam o sono são:

- *Melatonina* — hormônio produzido pela glândula pineal que regula o ciclo do sono e da vigília. A suplementação de melatonina pode ser útil para pessoas que têm dificuldade para adormecer ou que sofrem com *jet lag*, insônia ou alterações no ritmo circadiano. A melatonina também tem propriedades antioxidantes e anti-inflamatórias.

- *Magnésio* — mineral que participa de diversas funções no organismo, mas também está envolvido com a boa qualidade do sono. Ajuda a relaxar os músculos e diminuir as cãibras e o espasmo, que podem atrapalhar o sono. O relaxamento dos músculos ajuda o corpo a descansar melhor. O magnésio também pode aumentar os níveis de GABA, um neurotransmissor que ajuda o cérebro a entrar no estado alfa (relaxamento).

- *L-teanina* — aminoácido encontrado no chá-verde e principalmente no chá preto que tem efeito calmante e ansiolítico. Ajuda a melhorar a qualidade do sono ao reduzir o estresse, a ansiedade e a agitação. Além disso, pode aumentar os níveis de serotonina e dopamina, neurotransmissores relacionados ao humor, ao bem-estar, à memória e à concentração.

- *Valeriana* — planta medicinal que tem propriedades sedativas e hipnóticas, ocupando os mesmos receptores que os medicamentos benzodiazepínicos (ex.: Diazepam), porém sem promover efeitos colaterais. Ajuda a melhorar o sono ao reduzir o tempo para adormecer, aumentar a duração e a profundidade do sono e diminuir os despertares noturnos. Também pode aliviar a ansiedade, a tensão e a dor muscular.

- *Triptofano* — aminoácido essencial que o corpo não produz, por isso deve ser ingerido por meio da alimentação (ex.: abacate, banana) ou da suplementação. É um precursor da serotonina e da melatonina, hormônios que regulam o humor e o sono. A suplementação de triptofano pode ajudar a melhorar o sono ao induzir o relaxamento, a sonolência e a sensação de bem-estar.

- *Ashwagandha* — planta medicinal com propriedades adaptogênicas, ou seja, ajuda o organismo a se adaptar ao estresse e a equilibrar os hormônios. Ajuda a reduzir a ansiedade, o cortisol e a pressão arterial, que são fatores que podem interferir no sono. Além disso, pode aumentar os níveis de GABA e serotonina, que promovem o relaxamento e o bem-estar.

- *GABA* — neurotransmissor que tem um papel importante na regulação do sistema nervoso central. Possui um efeito inibitório, ou seja, reduz a atividade neuronal e favorece o sono, colocando o cérebro em estado alfa (relaxamento). A suplementação de GABA pode ajudar a melhorar o sono ao diminuir o tempo para adormecer, aumentar a duração e a qualidade do sono e reduzir os despertares noturnos.
- *Camomila* — erva aromática que tem propriedades calmantes e anti-inflamatórias. Ajuda a melhorar o sono ao aliviar o estresse, a ansiedade e a dor. Pode ser consumida na forma de chá, extrato ou cápsulas.
- *Lavanda* — é uma planta aromática que tem propriedades relaxantes e antidepressivas. Ajuda a melhorar o sono ao reduzir o estresse, a ansiedade e a depressão. Pode ser usada na forma de óleo essencial, para inalação ou massagem, ou na forma de cápsulas.
- *Passiflora* — é uma planta medicinal que tem propriedades sedativas e ansiolíticas. Ajuda a melhorar o sono ao reduzir o estresse, a ansiedade e a agitação. Pode ser consumida na forma de chá, extrato ou cápsulas.

Que a nossa oração diária seja como a do salmista: "Ensina-nos a contar os nossos dias de tal maneira que alcancemos corações sábios" (Salmos 90:12).

Ao fazermos isso, poderemos ajustar o nosso relógio biológico ao *kayrós* (relógio, tempo) de Deus e com certeza alcançaremos o padrão de sono que o Senhor reservou para os seus filhos: "Quando se deitar, não terá medo, e o seu sono será tranquilo a noite inteira" (Provérbios 3:24).

10

ATIVIDADE FÍSICA

> **"**... aquele que diz estar nele, também deve andar como ele andou **"**
>
> 1JOÃO 2:6

A caminhada é um bom caminho.

Talvez, quando você deu os primeiros passos, no início de sua vida, tenha ficado maravilhado e quem sabe pensando que nunca iria ficar parado diante de algo tão espetacular. Mas, com o passar do tempo, a correria do dia a dia — e não dos passos — tenha estagnado, aprisionando-o a um sofá em frente à televisão, sentindo-se tão cansado que o maior esforço talvez seja alcançar uma tigela de pipoca.

Sair da inércia realmente nos parece difícil, mas na realidade não é. Decidir conduzir nossa vida, em vez de sermos conduzidos por ela, nos leva a substituir uma rotina que não gostamos por uma agradável rotina saudável.

Não é um estalar de dedos que mudará essa situação, mas algo pode mudar da noite para o dia: sua atitude de sair da inércia e cumprir o propósito que o Pai Celestial tem para você. Afinal, a caminhada justifica nossa anatomia humana, criada por Deus à sua semelhança: "Criou, pois, Deus o homem à sua imagem; à imagem de Deus o criou; homem e mulher os criou" (Gênesis 1:27).

Fomos criados para nos movimentarmos. Por causa disso, a atividade física é essencial para vida: "Assim diz o Senhor, o teu Redentor, o Santo de Israel: Eu sou o Senhor, o teu Deus, que te ensina o que é útil, e te guia pelo caminho em que deves andar" (Isaías 48:17).

Existem vários versículos bíblicos em que os personagens estão praticando algum tipo de atividade física, como correr, lutar, nadar, dançar etc. Veja alguns exemplos:

- *Davi e Golias* (1Samuel 17:48-51) — Davi correu em direção à linha de batalha para enfrentar o gigante Golias e o derrotou com uma pedra e uma espada.
- *Elias e os profetas de Baal* (1Reis 18:20-40) — Elias desafiou os profetas de Baal a um duelo no monte Carmelo e provou que o Senhor é o verdadeiro Deus. Depois ele correu à frente do carro do rei Acabe até Jezreel.
- *Pedro e João* (João 20:3-4) — Pedro e João correram para o sepulcro de Jesus depois de ouvir que ele havia ressuscitado dos mortos. João chegou primeiro, mas foi Pedro quem entrou primeiro.
- *Paulo e Silas* (Atos 16:25-26) — Paulo e Silas estavam presos em Filipos por causa do evangelho. Eles cantavam hinos a Deus na prisão quando houve um terremoto que abriu as portas e soltou as correntes. Eles não fugiram, mas ficaram para evangelizar o carcereiro e sua família.
- *Miriã e as mulheres* (Êxodo 15:20-21) — Miriã era a irmã de Moisés e Arão. Ela liderou as mulheres de Israel em uma dança e um cântico de louvor a Deus pela vitória sobre os egípcios no mar Vermelho.
- *Filipe e o etíope* (Atos dos Apóstolos 8:29-30) — "E o Espírito disse a Filipe: 'Aproxime-se dessa carruagem e acompanhe-a'. Então Filipe correu para a carruagem, ouviu o homem lendo o profeta Isaías e lhe perguntou: 'O senhor entende o que está lendo?'."

ATIVIDADE FÍSICA 151

Você pode até argumentar que em 1Timóteo 4:8 ("Porque o exercício corporal para pouco aproveita, mas a piedade para tudo é proveitosa, tendo a promessa da vida presente e da que há de vir"), a Bíblia fala sobre não perder tempo com exercícios. Bem, creio ser que "um texto fora do contexto vira pretexto", nesse caso, para a preguiça e procrastinação.

Segundo alguns estudiosos, Jesus teria caminhado cerca de 33.998 quilômetros em seu ministério. Isso é impressionante, pois a circunferência da linha do Equador é de 40.075 quilômetros. Ela corresponde à maior circunferência que pode ser traçada no plano horizontal da esfera terrestre, ou seja, Jesus quase deu a volta ao mundo caminhando.

E se você pudesse escolher entre dois estilos de vida?

Sedentarismo	Atividade Física
Propensão a câncer, com sistema imune e sistema linfático disfuncional.	Prevenção do câncer, ativando o sistema imune e otimizando o sistema linfático.
Predisposição a diabetes Tipo 2.	Controle da diabetes Tipo 2.
Obesidade e sobrepeso.	Peso saudável.
Acúmulo de lixo tóxico nas células.	Auxílio no processo de desintoxicação de impurezas.
Envelhecimento precoce.	Poderoso anti-idade (antienvelhecimento).
Sono de má qualidade, com apneia do sono.	Melhora da qualidade do sono, pois reduz em 70% os distúrbios do sono.
Tendência a osteoporose.	Prevenção de osteoporose.
Lombalgia (dores nas costas), dores nas juntas, cãibras.	Alívio da dor.
Diminuição da produção de energia, o que pode levar a quadro de fadiga crônica.	Aumento da produção de ATP (energia) celular, sendo uma das mais poderosas armas contra a fibromialgia).
Constipação intestinal.	Regularização da função intestinal.
Maior propensão a quadros ansiosos e depressivos, e devido à menor produção de neurotransmissores e morte precoce de células nervosas.	Combate dos transtornos ansiosos e depressivos ao aumentar a produção de serotonina e dopamina.
Predisposição a doenças como doença de Parkinson e mal de Alzheimer.	Redução no estresse.
Estresse excessivo.	Fortalecimento do sistema cardiovascular.
Propensão a doenças cardiovasculares.	

Qual seria a sua escolha?

A verdade é que essa escolha não é hipotética, ela é real, e só você tem autoridade para fazê-la, mesmo que muitas vezes tenha dito que não consegue, que se sente aprisionado em seus hábitos errados e jamais conseguirá alcançar seus objetivos. Você pode e deve fazer uma escolha. Ser saudável pode ser mais fácil e prazeroso do que muita gente imagina.

Estudos comprovam que atividade física regular é fundamental para saúde e a simples prática da caminhada é uma forma eficaz de emagrecer, ganhar fôlego e proteger o coração. No entanto, apesar de ser uma atividade acessível, é importante, antes de iniciar a prática, consultar um médico e um educador físico para avaliação integral de sua saúde e desenvolvimento de um programa de condicionamento físico bem equilibrado e completo.

Depois de seu corpo ter ficado parado e sofrendo durante anos, ele necessita de estímulos e preparação para realizar de forma segura os exercícios a que será submetido. Lembre-se, caminhar é uma atividade ideal para manter pelo resto da vida. Por isso você deve facilitar o trabalho, aumentando os passos gradualmente.

O que a atividade física pode fazer pela sua saúde se você optar por sair do sedentarismo?

Com a prática da atividade física, o sistema cardiovascular é fortalecido, otimizando o trabalho do coração. O coração de uma pessoa inativa trabalha muito mais do que o de uma ativa. O coração de uma pessoa ativa geralmente bate 60-70 vezes por minuto. Já o de uma sedentária bate 80 vezes ou mais por minuto. Se fizermos o cálculo, veremos que o coração de uma pessoa sedentária irá bater 20.000 vezes mais em 24 horas. Em um ano esse número se elevará para 7.200.000 batimentos extras! O coração se alimenta de oxigênio entre os batimentos, dessa forma, quanto maior a pausa, maior a nutrição do coração. A atividade física fortalece o coração, fazendo com que ele bata com menos frequência e tenha períodos mais prolongados de descanso. Todos os estudos mostram que atividade física regular é o fator de prevenção mais importante de problemas cardiovasculares.

ATIVIDADE FÍSICA 153

Você pode começar com a prática da caminhada, mas se você também agregar atividades anaeróbicas como musculação, o resultado benéfico para seu sistema cardiovascular e sistema osteomuscular é otimizado.

A atividade anaeróbica é ótima para o coração e para os pulmões, além disso, fortalece os ossos e os grupos musculares. É um ótimo investimento para você evitar a perda óssea e muscular decorrente do processo de envelhecimento.

Você também pode obter os benefícios do levantamento de peso usando o próprio peso corporal. Exercícios abdominais, trações, puxões, flexões, arremesso, levantamentos etc.

O mais importante é escolher atividades prazerosas que o estimulem a viver segundo o padrão de Deus. Você não precisa mais esperar a segunda-feira para fazer mudanças na sua vida. Comece hoje mesmo uma metanoia que vai conduzi-lo a um estilo de vida saudável.

Lembre-se: você não pode escolher quantos dias irá viver, mas pode escolher como irá vivê-los! "O Senhor Soberano é a minha força; ele faz os meus pés como os do cervo; ele me habilita a andar em lugares altos" (Habacuque 3:19).

Orientações para a atividade física

Por quanto tempo se exercitar?

Qual é o tempo de exercício mais adequado? A rotina agitada dificulta os cuidados da saúde. Apesar disso, 30 minutos de atividade aeróbica moderada, cinco vezes por semana (150 minutos no total), já trazem benefícios, conforme as Diretrizes de Atividade Física para Americanos do Departamento de Saúde e Serviços Humanos dos EUA. Se puder fazer mais, melhor: cinco horas (300 minutos) de atividade aeróbica moderada por semana ampliam as vantagens. Além disso, os especialistas indicam exercícios de força para todos os principais grupos musculares duas vezes por semana, e exercícios de equilíbrio para idosos propensos a cair.

Pode parecer muito, mas logo vira hábito e você não abre mão, pois se sente melhor quando se exercita.

Para estimar a frequência cardíaca alvo durante o exercício, basta subtrair sua idade de 220 se for homem, ou de 226 se for mulher. Multiplique o resultado por 0,6 (60%) para obter o alvo menor, e por 0,9 (90%) para obter o alvo maior (frequência cardíaca máxima — FMC). Veja o exemplo:

Homem de 40 anos: 220 - 40 = 180

- (180 x 0,6 = 108 alvo menor)
- (180 x 0,9 = 162 alvo maior)

Mulher de 40 anos: 226 - 40 = 186

- (186 x 0,6 = 111 alvo menor)
- (186 x 0,9 = 167 alvo maior).

Nível de atividade física:

- Moderado (de 60 a 70% da FCM) — dá para conversar durante o exercício, mesmo que você fique um pouco ofegante.
- Forte (de 75 a 80% da FCM) — é mais difícil conversar durante o exercício, pois o esforço é maior.
- Cansativo (de 85 a 90% da FCM) — não é possível conversar durante o exercício, pois a respiração fica extremamente ofegante.

MODERADO	VIGOROSO
Caminhada, superfície plana, 4–7 km/h	Andar, superfície plana, 7 km/h ou mais rápido, ou caminhando rapidamente "ladeira acima"
Caminhada	Correr lenta ou rapidamente

MODERADO	VIGOROSO
Bicicleta, terreno plano, 8-16 km/h	Bicicleta, 16 km/h ou mais rápido, ou subindo colinas
Bicicleta estacionária, ritmo moderado	Aula de *spinning* (ciclismo *indoor*)
Tênis, em dupla	Tênis, individual
Badminton	*Squash*
Natação, recreação	Natação, voltas constantes

Observe a tabela dos passos a seguir:

NÍVEL DE ATIVIDADE FÍSICA	PASSOS POR DIA
SEDENTÁRIO	<5000
UM POUCO ATIVO	5000 – 7499
POUCO ATIVO	7500 – 9999
ATIVO	10000 – 12499
MUITO ATIVO	>12500

Quantos metros representam 10.000 passos? 8 quilômetros.

Quantas calorias adicionais podem ser queimadas ao dar 10.000 passos por dia? 2.000 a 3.500 calorias por semana.

E se o objetivo for diminuir o peso? Acumule de 12.000 a 15.000 passos por dia.

Fique firme! Quando você menos esperar, já não fará parte do grupo de sedentários e será cada dia mais saudável e disposto.

Dicas para uma boa caminhada:

- Mantenha um ritmo adequado, evite passos largos. Se quiser andar mais rápido, dê passos curtos e mais frequentes. Pise primeiro com o calcanhar.

- Preste atenção na postura. Caminhe olhando para a frente, com a coluna alinhada, contraindo o abdômen e alternando entre os pés e os braços.
- Não caminhe carregando pesos como mochilas, bolsas, sacolas, isso pode acarretar lesões na coluna e causar dores nas costas.
- Escolha um tênis que se adapte bem aos seus pés com boa absorção de impactos para evitar lesões por esforço repetitivo. Nunca caminhe com tênis velho, apertado ou muito grande.
- Beba muita água. Antes, durante e depois da caminhada. Não espere sentir sede para beber água, pois esse já é o primeiro sinal de desidratação.
- Faça refeições leves antes do exercício para prevenir tonturas ou até mesmo possíveis desmaios. As frutas são o alimento mais recomendado.
- Alongue-se. Os músculos devem ser aquecidos antes e depois da caminhada.
- Caminhadas pela manhã são excelentes para estimular e preparar o organismo para o resto do dia.
- Evite caminhar em lugares poluídos, pois ao respirar mais rapidamente por causa do esforço, você aumenta a quantidade de ar inspirado, e quanto pior a qualidade do ar, mais você fica intoxicado por gases perigosos para o organismo.

Sedentarismo, o novo tabagismo

Um estudo de grande impacto constatou que além de realizar exercícios regulares, você deve fazer um esforço para ficar em pé e se movimentar mais, especialmente se você trabalha em uma atividade que exige pouca atividade física. Permanecer sentado durante longos períodos pode aumentar o risco de doenças graves como doenças cardíacas, diabetes e vários tipos de câncer. No entanto, mesmo que você já se exercite, ficar mais ativo e passar menos tempo sentado ainda pode diminuir o risco de

ATIVIDADE FÍSICA 157

desenvolver qualquer uma dessas doenças. Isso se deve ao fato de que a atividade diária fortalece esses efeitos, isto é, os mecanismos protetores contra doenças cardiovasculares e degenerativas

Essa foi a conclusão de um estudo da Sociedade Americana de Câncer, que incluiu cerca de 130 mil adultos de meia-idade e foi publicado no American Journal of Epidemiology. Ao longo dos 21 anos de estudo, homens e mulheres que passaram seis ou mais horas por dia sentados tiveram um risco 19% maior de morrer por qualquer causa do que aqueles que passaram três horas ou menos por dia fazendo isso. Doenças específicas tiveram um risco muito maior de morte, incluindo doenças cardíacas (26%), diabetes (31%) e doenças hepáticas (80%). O maior risco persistiu mesmo entre os praticantes de exercícios, indicando o valor de se engajar nos dois tipos de atividade. Numerosos estudos revelaram as vantagens da atividade regular e diária para doenças cardíacas, diabetes, câncer e perda de peso.

Por que ficar sentado por muito tempo tem efeitos tão negativos para a saúde? A principal razão é que, por haver um relaxamento dos grandes grupos musculares, o risco de diabetes tipo 2 aumenta, pois, esses músculos absorvem menos açúcar no sangue (glicose). O risco de doença cardíaca aumenta como resultado da diminuição dos níveis do HDL (colesterol bom), e diminuição dos níveis das enzimas que quebram os lipídios do sangue (triglicérides). Por outro lado, o exercício regular não só reduz o risco de desenvolver doenças graves, como também aumenta a capacidade de queimar calorias.

Eu aconselho você a se sentar apenas "com moderação".

11
. . . .

DETOXIFICAÇÃO

" Então aspergirei água pura sobre vós,
e ficareis purificados. **"**

EZEQUIEL 36:25

Com a conclusão do Projeto Genoma Humano em 2003, constatou-se
que o cérebro da célula é a sua membrana, e não o núcleo, como se acre-
ditava. O núcleo da célula contém o DNA, que é o nosso banco de dados. O DNA se agrupa em genes, e uma sequência de genes forma um
cromossomo. A espécie humana tem 23 pares de cromossomos, totali-
zando 46 cromossomos.

Na genética, a definição de genótipo e fenótipo, elaborada pelo botâ-
nico e geneticista dinamarquês Wilhelm Ludvig Johannsen no início do
século 20, foram fundamentais para o desenvolvimento dessa ciência. O
genótipo refere-se à constituição genética de um indivíduo, é determinado pelo conjunto de cromossomos que ele herdou de seus pais (23 de
cada um), e também define as limitações de desenvolvimento de um indivíduo, desde a sua forma embrionária até a sua fase adulta. Já o termo
fenótipo é usado para designar as características externas, morfológicas
(aspecto), fisiológicas (funções) e comportamentais de um indivíduo; por
isso, de maneira geral, podemos dizer que ele se refere principalmente à
aparência de um indivíduo.

160 RUMO AOS 120 ANOS

Não são os genes por si só que resolvem se expressar em determinado fenótipo, mas sim as informações (físicas e energéticas) que atingem a membrana é que estimulam a expressão deste ou daquele gene. Cada gene pode ter 30.000 destinos (expressões) diferentes, conforme o meio em que nós vivemos. Portanto, você não está mais "condenado" pelos seus genes: o papel principal é do meio ambiente, desde seu status nutricional até os seus pensamentos e emoções do dia a dia.

Depois de sequenciar seu próprio genoma, o pioneiro pesquisador em genômica Craig Venter comentou o seguinte:

> A biologia humana é realmente muito mais complicada do que imaginamos. Todo mundo fala sobre os genes que receberam de sua mãe e pai. Mas, na realidade, esses genes têm muito pouco impacto sobre os resultados da vida. Os genes não são absolutamente o nosso destino. Eles podem nos dar informações úteis sobre o aumento do risco de uma doença, mas na maioria dos casos eles não vão determinar a causa real da doença.[1]

Isto é tão impactante, que um artigo publicado em 2008 sob o título "O Câncer é uma doença evitável que exige grandes mudanças de estilo de vida"[2], concluiu que somente 5 a 10% dos cânceres se explicam pelo fator genético.

E o resto?

- 30-35% Dieta
- 25-30% Tabagismo
- 15-25% Infecções

---

[1] Entrevista de Craig Venter à revista *Wired* em 2013. "Craig Venter: The Future of Medicine".

[2] ANAND, P. *et al.* Cancer is a preventable disease that requires major lifestyle changes. *Pharm Res.*, v. 25, n. 9, p. 2097-2116, 2008 sep.;. Doi: 10.1007/s11095-008-9661-9. Epub 2008 Jul 15.

- 10-20% Obesidade
- 10-15% Outros
- 4-6% Álcool

As toxinas (agentes agressores) entram no organismo por meio do ar, dos alimentos, da água e pelo contato direto com a pele. Sendo assim, a prevenção está em:

- Mudança de hábitos de vida.
- Uso de antioxidantes e agentes desintoxicantes.
- Redução na exposição involuntária a agentes tóxicos.

Poluição

Por poluição entende-se a introdução pelo homem, direta ou indiretamente, de substâncias ou energia no ambiente, provocando um efeito negativo no seu equilíbrio, causando assim danos à saúde humana, aos seres vivos e ao ecossistema ali presente. Os agentes de poluição, normalmente designados por poluentes, podem ser de natureza química, genética ou energéticos, como nos casos de luz, calor ou radiação.

Os poluentes mais frequentes e seus efeitos mais temidos são os seguintes:

Dioxina

Na realidade, dioxina não corresponde a apenas uma substância, mas a um grupo de cerca de 75 compostos altamente persistentes no meio ambiente e que apresentam diferentes graus de toxicidade, produzidos na queima de produtos que contém cloro. O PVC, por exemplo, nosso velho conhecido, é inofensivo em si; todavia, a sua queima gera dioxina. Além disso, ocorre também a liberação de ácido cianídrico, um tóxico poderoso. Uma vez lançadas no meio ambiente, as dioxinas podem alastrar-se por grandes distâncias, carregadas por correntes aéreas e marinhas. Por possuírem essa capacidade de disseminação, as dioxinas representam um tipo de contaminante onipresente, que pode ser encontrado nos tecidos, no sangue e no leite materno das populações de quase todos os países do mundo. Em 1997, a Agência Internacional para Pesquisa do Câncer (IARC - International Agency for Research on Cancer) classificou as dioxinas mais tóxicas como carcinógenos humanos. Elas estão associadas a inúmeros outros impactos na saúde, como:

- Alterações no desenvolvimento sexual.
- Problemas reprodutivos masculinos e femininos.
- Supressão do sistema imune.
- Diabetes.
- Distúrbios hormonais.
- Câncer.
- Malformações fetais.
- Doenças neurológicas.

Chumbo

O chumbo é um metal pesado proveniente de carros, pinturas, água contaminada e indústrias. Sua acumulação nos tecidos orgânicos pode causar:

- Perturbação da biossíntese da hemoglobina e anemia.
- Aumento da pressão sanguínea.
- Lesão renal.
- Abortos.
- Alterações no sistema nervoso e danos ao cérebro.
- Diminuição da fertilidade do homem.
- Distúrbios da aprendizagem e modificações no comportamento das crianças, como agressão, impulsividade e hipersensibilidade.

Mercúrio

Esse componente tem origem em centrais elétricas, na incineração de resíduos e contaminação de rios e lagos por garimpos. Assim como o chumbo, quando grandes quantidades de mercúrio se acumulam no sistema nervoso é caracterizado o quadro de neurotoxicidade, que pode ser percebido por meio de alguns sinais e sintomas, sendo os principais:

- Mudanças bruscas e frequentes de humor.
- Nervosismo, ansiedade e irritabilidade.
- Distúrbios do sono, como insônia e pesadelos frequentes.
- Problemas de memória.
- Dor de cabeça e enxaqueca.
- Tontura e labirintite.
- Delírios e alucinações.

Arsênico

É uma substância que está presente naturalmente no solo, na água, no ar, nas plantas e nos animais. Porém, a contaminação do solo ocorre por poluição industrial e uso de pesticidas. Para entender melhor, é importante observar que há dois tipos de arsênico: orgânico e inorgânico.

Os orgânicos tendem a ser menos tóxicos e são encontrados em alguns alimentos, como peixes e crustáceos.

E os inorgânicos são encontrados na indústria, em produtos de construção, em água contaminada e tendem a ser a forma mais tóxica, contaminando a nossa alimentação. O arsênico inorgânico está presente em água contaminada pela poluição industrial. É um potente carcinogênico relacionado a um crescente número de tipos de câncer, como de bexiga, pulmão, próstata, fígado, rins e pele. Em 2001, a Agência de Proteção Ambiental (EPA dos EUA) reduziu o nível máximo de arsênio permitido na água potável de 50 ug/L para 10 ug/L (ou 10 partes por bilhão

— ppb) devido ao risco de câncer estabelecido. As maiores concentrações dessa substância nos alimentos estão em frutos do mar, arroz e produtos derivados do arroz, cogumelos e aves. O arroz é uma preocupação em especial, porque é um componente importante na alimentação da maior parte da população do planeta. Além disso, é muito comum em cereais consumidos por crianças. Pelas suas condições de crescimento e fisiologia, o arroz chega a ter cerca de 10 vezes mais arsênico do que outros grãos. Segundo estudos, a concentração normalmente excede 100 partes por bilhão em arroz, farinha de arroz, bolachas, pasta e cereais matinais. No leite de arroz, essa concentração normalmente ultrapassa 10 partes por bilhão, a quantidade máxima permitida na água potável.

Arsênico, além de cancerígeno, está associado a sintomas como:

- Lesões nos rins.
- Lesões de pele.
- Fadiga crônica.
- Cefaleia (dor de cabeça).
- Risco aumentado de diabetes.
- Redução de QI em crianças.
- Anemia.
- Risco aumentado de prematuridade na gestação, bebês de baixo peso e mortalidade infantil.
- Problemas gastrointestinais.

Alumínio

É o metal mais abundante na crosta terrestre e, como resultado, comumente entra na cadeia alimentar. Em média, ingerimos entre 10 e 100 mg por dia. Normalmente pouco desse metal entra no corpo porque sais de alumínio tendem a combinar com fosfato no trato gastrointestinal e são excretados. No entanto, uma pequena porcentagem é absorvida e, como consequência, a maioria dos tecidos moles contém entre 0,2 e 0,6 ppm.

No total, a carga corporal humana desse metal é geralmente entre 50 a 150 mg, sendo os maiores níveis em idosos.

Ingerimos alumínio quando utilizamos determinados produtos: creme dental, desodorante antitranspirante *roll on*, cosméticos (*blush*, sombra de olhos, batom, base, pó compacto, rímel, delineador de olhos, lápis de olhos e boca, hidratante para o corpo e rosto, esmaltes), sabonetes líquidos e em barra, medicamentos como antiácidos e vacinas, utensílios de cozinha (panelas, frigideiras, formas de bolo e pão, talheres), embalagens de alimentos (latas de bebidas, papel de alumínio, embalagens longa vida). Na alimentação, o alumínio aparece em aditivos alimentares como anticoagulantes, endurecedores, fermentantes, emulsificantes, corantes e acidulantes.

Os malefícios do alumínio são vários, podendo levar a alterações crônicas, como a síndrome do cólon irritável (SCI) ou agravamento de hemorroidas, distensão abdominal e dispepsia (má digestão), problemas de pele, dores articulares, mialgia, queda de cabelo, perda de peso, fadiga, entre outros sintomas.

Estudos recentes mostram a relação entre alumínio e doenças neurodegenerativas, especialmente doença de Alzheimer, doenças autoimunes e até mesmo câncer de mama. Segundo a Organização Mundial de Saúde (OMS), existem no mundo aproximadamente 50 milhões de pessoas com demência, e todos os anos surgem milhões de novos casos. A estimativa é de que em 2050 esses números ultrapassem 130 milhões de pessoas.[3] Na América Latina a demência atinge as mais altas taxas de prevalência, sendo que atualmente 8,5% da população acima de 65 anos são afetadas.[4]

Ao entrar em contato com o organismo do indivíduo, o alumínio chega ao cérebro pela circulação sistêmica. Uma parte dessa substância

---

[3] WHO, 2017. Disponível em: https://www.paho.org/pt/noticias/7-12-2017-demencia-numero-pessoas-afetadas-triplicara-nos-proximos-30-anos.

[4] WHO, 2017. Disponível em: https://iris.paho.org/handle/10665.2/57323.

atravessa a barreira hematoencefálica e é depositada no tecido cerebral, a outra se acumula nas artérias cerebrais. Esse acúmulo aumenta com a idade ou com a duração da exposição.

O Professor Christopher Exley, do Reino Unido, é o maior estudioso dos impactos do alumínio nas funções cerebrais. Em 2019, publicou o artigo "Aluminum Should Now Be Considered a Primary Etiological Factor in Alzheimer's Disease" [O alumínio deve agora ser considerado um fator etiológico primário na doença de Alzheimer], em que resumiu a ampla evidência experimental e clínica que implica o alumínio como um fator etiológico primário na doença de Alzheimer. A inequívoca neurotoxicidade do alumínio deve significar que, quando a carga de alumínio no cérebro excede os limites de toxicidade, sua contribuição para o surgimento de doenças é inevitável. O alumínio atua como um catalisador para o início precoce da doença de Alzheimer em indivíduos com ou sem predisposições concomitantes, sejam elas genéticas ou não. Vale destacar que a doença de Alzheimer não é uma consequência inevitável do envelhecimento na ausência de uma carga cerebral de alumínio.

Pesticidas, benzeno e isolantes

São xenobióticos, substâncias estranhas ao organismo capazes de alterar o modo de funcionamento do sistema neuroendócrino, além de exercer efeito negativo nos genes. Essas substâncias se dissolvem em gordura e formam depósitos tóxicos capazes de aumentar a inflamação do corpo, alterar funções hormonais e liberar radicais livres. Um destaque é o glifosato, agrotóxico mais vendido no Brasil, conforme o parecer técnico nº 01/2015, produzido por pesquisadores da Universidade Federal de Santa Catarina (UFSC).

É um herbicida que mata qualquer tipo de planta, exceto os vegetais transgênicos, denominados RR (*Roundup Ready*), pois foram desenvolvidos para serem resistentes a doses comerciais do referido produto. Pesquisadores, ao investigarem a composição química de grãos de soja geneticamente modificada *Roundup Ready* (transgênica), constataram o acúmulo de glifosato, o que não foi observado em grãos do vegetal não transgênico. Além disso, foram encontradas diferenças substanciais na composição química dos grãos investigados, como nos teores de proteínas, minerais e açúcares, evidenciando-se que a soja transgênica, comparativamente àquela produzida em sistemas orgânico ou convencional, não tem o mesmo perfil químico e nutricional que a soja não transgênica. Não são, portanto, alimentos equivalentes.

Devido ao seu modo de ação e à sua crescente disseminação nos alimentos e no ambiente, o glifosato tem sido responsável pelo desencadeamento de doenças graves cada vez mais comuns na população, incluindo: desordens gastrointestinais, obesidade, diabetes, doenças cardíacas, depressão, autismo, infertilidade, câncer, mal de Alzheimer e mal de Parkinson.

Cigarro e E-cigarettes (cigarro eletrônico)

A fumaça do cigarro contém mais de 7.000 compostos e substâncias químicas. Estudos indicam que no mínimo 69 desses compostos e substâncias provocam câncer.[5] O risco de morte por diversas doenças graves em fumantes é 2 a 3 vezes superior ao das pessoas que nunca fumaram, e a média é a redução de 10 anos da expectativa de vida. Em números, o tabagismo é responsável por:

- 25 a 30% da totalidade dos casos de câncer, incluindo câncer do aparelho respiratório superior (lábio, língua, boca, faringe e laringe).
- 80% dos casos de doença pulmonar crônica obstrutiva (DPOC), como enfisema, bronquite crónica, bronquiectasia.

[5] American Cancer Society (2022); American Lung Association (2022); CenterS for Disease Control and Prevention (2022); U.S. Food and Drug (2022).

- 90% dos casos de câncer do pulmão.
- 20% da mortalidade por doença coronariana.
- Aumento de 2 a 4 vezes da frequência de doenças cardiovasculares.

Fumar afeta todo o organismo humano, sendo causa ou fator de agravamento das doenças crônicas não transmissíveis mais prevalentes, como câncer, doenças respiratórias, doenças cardiovasculares, diabetes, abortos, defeitos congênitos, além de outros efeitos nocivos na saúde sexual/reprodutiva, ocular, oral e do envelhecimento da pele.

Segundo o Instituto Nacional de Câncer (INCA), o fumante passivo, ao respirar a fumaça de outra pessoa durante uma hora "fumou" o equivalente a quatro cigarros. A fumaça que sai da ponta do cigarro contém em média três vezes mais nicotina e monóxido de carbono e até 50 vezes mais substâncias cancerígenas do que a fumaça que o fumante inala.

O tabagismo passivo pode acarretar desde reações alérgicas (rinite, tosse, conjuntivite, exacerbação de asma) em curto período, até infarto agudo do miocárdio, câncer do pulmão e doença pulmonar obstrutiva crônica (enfisema pulmonar e bronquite crônica) em adultos expostos por longos períodos.[6] Infelizmente, crianças e bebês são particularmente mais suscetíveis ao tabagismo passivo, o que aumenta consideravelmente o risco de desenvolverem doenças respiratórias, doença do ouvido médio e a síndrome da morte súbita infantil. Mulheres grávidas expostas ao tabagismo passivo enfrentam um risco aumentado de natimorto, malformações congênitas e feto com baixo peso ao nascer. Não há nível seguro de exposição ao tabagismo passivo, e a única maneira de proteger adequadamente fumantes e não fumantes é eliminar completamente o tabagismo em ambientes fechados.

[6] MEIRELLES, 2009. Disponível em: https://www.gov.br/inca/pt-br/assuntos/causas-e-prevencao-do-cancer/tabagismo/tabagismo-passivo.

Os E-cigarettes, vapers ou cigarros eletrônicos não são como os cigarros tradicionais. Eles não exalam um odor ofensivo de fumaça, por isso são percebidos erroneamente como inofensivos à saúde. Um em cada 5 estudantes do ensino médio vaporiza, e especialistas acreditam que os E-cigs manterão os jovens viciados por anos. Pesquisas têm apontado a associação entre o consumo de vapers e o aumento do processo inflamatório. Esse processo danifica as células endoteliais que revestem as artérias e leva a uma redução na produção de óxido nítrico com consequentes lesões vasculares que podem afetar qualquer órgão. A esse respeito, as alterações mais significativas acontecem no cérebro, contribuindo para mudanças de comportamento e distúrbios de humor.

Vale ressaltar que fumantes passivos não estão imunes aos perigos associados ao uso desse dispositivo, pois os vapores liberados contêm produtos químicos e metais tóxicos. Supreendentemente, parece que os níveis de cotinina, que é uma medida da quantidade de nicotina que o corpo absorve, podem ser tão altos em pessoas expostas a esses vapores quanto naquelas expostas à fumaça de cigarro tradicional.

Electrosmog

A exposição a campos eletromagnéticos de radiofrequência (EMFs) artificiais aumentou significativamente nas últimas décadas e atualmente atinge níveis astronômicos nunca experimentados em nosso planeta. Essa exposição afeta o organismo por meio da electrosmog (termo que se refere à poluição eletromagnética ou à exposição excessiva a campos eletromagnéticos). Constantemente somos expostos a influências eletromagnéticas, afinal cada molécula, cada partícula atômica, tem um campo eletromagnético. O Sol e a Terra também produzem campos eletromagnéticos. Quatro gerações atrás, esses campos eletromagnéticos eram inofensivos para nós, como a luz solar. No entanto, com o desenvolvimento da energia elétrica e todas as suas manifestações modernas, nosso ambiente natural evoluiu para uma rede bem tecida de múltiplas fontes de irradiação. Os seres humanos têm um campo eletromagnético com um poder de aproximadamente 100 milivolts. Se vivemos em um campo criado artificialmente mais alto, com o tempo nossos corpos perdem energia constantemente para compensar os efeitos desse campo eletromagnético maior.

E aqui está o problema: a electrosmog é invisível, e seus são efeitos sutis. É difícil relacionar os sintomas físicos e mentais com a exposição ao electrosmog, que é uma constante em nossas vidas. No entanto, se nos atentarmos a como nos sentimos em diferentes ambientes, podemos começar a perceber essa exposição e seus efeitos. Já percebeu a diferença quando estamos na praia, no campo ou nas montanhas, em contraste com o corre-corre de uma cidade? Há também algumas coisas simples que podemos levar em conta quanto à exposição a fontes de electrosmog: você mora ou trabalha perto de uma torre de celular, estação de energia, linhas de alta tensão ou aeroportos? Você tem Wi-Fi, telefones sem fio, monitores de bebê, forno de micro-ondas? Você dorme com o celular ao seu lado, ou, pior ainda, embaixo do travesseiro? Hoje em dia, electrosmog de baixa frequência é construído em todos os edifícios. Além disso, o electrosmog de alta frequência existe não só na maioria dos apartamentos e casas, mas também na natureza. De fato, o número cada vez maior de torres de telefonia celular e equipamentos usados para transmissão significa que ele existe em quase todos os lugares. A implementação atual de novas frequências de transferência de dados 5G marca mais um passo em uma direção que deixa cada vez mais pessoas doentes, pois trabalhos franceses de 2007 demonstraram que há uma maior incidência de neoplasia cerebral (meningioma maligno e astrocitoma maligno ou glioblastoma multiforme) em indivíduos que trabalham com celulares.

Uma das maneiras pelas quais os EMFs afetam nossos corpos é alterando a produção de hormônios essenciais à nossa função do sistema imunológico, ritmos circadianos (relógio biológico) e saúde geral. Estudos têm mostrado que a electrosmog nos quartos causa uma diminuição na melatonina, hormônio que regula o ciclo de sono. Em alguns casos, os

DETOXIFICAÇÃO 171

dados mostram uma redução de 40% a 50% nos níveis normais de melatonina, tornando o sono profundo impossível. Para alcançarmos o sono profundo, nossa frequência cerebral precisa ser de 4 a 8 Hz, mas as frequências eletromagnéticas interferem consistentemente nisso. Pesquisas também mostraram que níveis consistentemente baixos de melatonina aumentam a probabilidade de câncer e podem fazer com que tumores existentes se desenvolvam a uma taxa maior.

Em 2011, a Organização Mundial da Saúde (OMS) e a Agência Internacional de Pesquisa em Câncer (IARC) classificaram os campos eletromagnéticos como "possivelmente cancerígenos para humanos (grupo 2B), com base no aumento do risco de glioma, um tipo maligno de câncer cerebral, associado ao uso de telefone sem fio".[7]

O nível de exposição ao electrosmog que é prejudicial ainda é altamente debatido. No entanto, inúmeros estudos forneceram dados suficientes para apoiar a conclusão de que o electrosmog é prejudicial. Além disso, muitos desses estudos sugerem que os limites atualmente estabelecidos para exposição são insuficientes. Pesquisas mostraram uma correlação direta entre a exposição à radiação eletromagnética e o câncer, doença de Alzheimer, ALS (doença de Lou Gehrig), depressão, mutação celular, danos ao DNA, função cerebral, resposta imune enfraquecida, alergias, inflamação crônica, disfunção reprodutiva e outras condições médicas.

A cientista americana Nancy Wertheimer realizou em vida extensas pesquisas com foco no impacto de campos eletromagnéticos de baixa frequência na mortalidade infantil. Com sua pesquisa, comprovou-se uma correlação entre uma maior taxa de mortalidade infantil e a exposição consistente a campos de baixa frequência. Em seus estudos, crianças que dormiam nas proximidades de estações de transformadores ou instalações similares tinham duas a três vezes mais chances de morrer de leucemia

....
[7] Who/IARC Press Release 208, 31 de maio de 2011.

do que crianças que dormiam em quartos livres desse tipo de campo eletromagnético. Além disso, crianças que viviam em um raio de 50 metros de um pilar de alta tensão desenvolveram leucemia a uma taxa maior do que as crianças que não viveram — até 70% maior.

A caixa craniana funciona como um ressonador, ampliando a exposição e aumentando os efeitos eletromagnéticos. A exposição aumenta ainda mais quando falamos ao celular dentro do carro, pois a capota do carro potencializa a energia emitida pelo aparelho, podendo amplificá-la 3 a 4 vezes. Estudos revelam que os efeitos eletromagnéticos sobre crianças podem ser até cinco vezes mais nocivos do que nos adultos, pois o cérebro ainda está em formação.

Pensando nisso, o usuário de telefone celular deve tomar diversos cuidados como medida de prevenção:

1. Não atenda o celular quando este estiver recarregando, pois essa prática aumenta em 20 vezes a morte de neurônios.
2. Ao dormir, procure manter uma distância de pelo menos dois metros do aparelho.
3. O telefone deve ficar alguns centímetros longe do ouvido durante a comunicação. O uso de um kit "viva-voz" é uma boa solução para afastar o telefone da cabeça do usuário durante o uso.

Quanto ao uso do forno micro-ondas, é como se você estivesse em casa ouvindo uma bela música instrumental, quando de repente uma britadeira é acionada na rua onde você mora. Você se sente como se estivesse levando uma pancada na cabeça. Esse é o efeito do forno micro-ondas sobre o alimento em comparação ao aquecimento tradicional no fogão. No forno micro-ondas, os alimentos não são expostos a um calor suave, mas submetidos de maneira brutal a uma vibração térmica, dura e antinatural, que faz com que os átomos, as moléculas e as células dos alimentos mudem de polarização 2,5 bilhões de vezes por segundo. As células repletas de água entram em gigantesco caos e, então, o atrito libera calor que aquece os alimentos. Toda a vida cessa, nascem radicais livres que causam grandes estragos no corpo humano. Isso foi constatado em pesquisas minuciosas que mostraram os efeitos do alimento feito no forno micro-ondas sobre o ser humano.

Drogas e medicamentos

A ingestão de álcool está associada ao aumento do estresse oxidativo, com o fígado sendo particularmente afetado, o que pode causar esteatose hepática, hepatite alcoólica e cirrose hepática. Estudos apontam que o consumo excessivo de álcool promove um aumento nas taxas de câncer.

Outras drogas

A terceira maior causa de morte nos Estados Unidos chama-se Iatrogenia, doença causada por medicamentos e terapêuticas médicas. Mais especificamente, isso diz respeito ao uso excessivo de antipsicóticos, antibióticos, anticonvulsivantes, analgésicos, anti-inflamatórios e drogas anticâncer.

Outras fontes de intoxicação

Também são fontes de intoxicação para o organismo humano:

- Artigos de limpeza e higiene.
- Cosméticos.
- Restaurações dentárias de prata (amálgama).
- Vacinas.
- Próteses de silicone.
- Botox®.

Pessoas altamente intoxicadas são suscetíveis a muitos problemas, incluindo: fadiga crônica, cardiopatia, perda de memória, envelhecimento precoce, problemas da pele, artrite e artrose, desequilíbrios hormonais, ansiedade e desordens emocionais, dores de cabeça, câncer e doenças autoimunes.

Desintoxicando

Deus criou nosso organismo de uma forma perfeita, proporcionando mecanismos de autorregulação e proteção. São sistemas de eliminação de toxinas:

- Cólon
- Pulmões
- Pele
- Trato urinário
- Vasos linfáticos
- Fígado

O fígado desempenha um papel fundamental no processo de desintoxicação do organismo. Em condições de funcionamento adequadas, protege o organismo das toxinas do meio ambiente e das resultantes do metabolismo. O chá-verde é um dos grandes protetores hepáticos.

O cólon é o sistema de eliminação de toxinas mais importante do corpo. Recebe toxinas da nossa dieta e do fígado, e as elimina do organismo. Alimentos ricos em fibras, como frutas e produtos integrais, são excelentes contribuintes para a saúde do cólon.

Devido à sua capacidade de eliminar diversas toxinas, a pele é frequentemente chamada de "terceiro rim". O suor, que possui uma consistência semelhante à da urina e contém resíduos e substâncias indesejadas que o corpo precisa eliminar, desempenha um papel fundamental nesse processo. Existem várias medidas úteis que auxiliam na desintoxicação

DETOXIFICAÇÃO 175

através da pele: transpirar, esfoliar a pele antes do banho com uma bucha vegetal seca e usar sauna.

Jejum

O jejum é uma prática que consiste em se abster de alimentos, bebidas ou ambos, por um período determinado. Essa prática pode ter diferentes objetivos, como religiosos, de saúde ou de preparação para exames.

Existem diferentes tipos de jejum:

- *Jejum intermitente* — é um dos mais populares atualmente. Ele consiste em alternar períodos de alimentação e de jejum, que podem variar de horas a dias. Por exemplo, algumas pessoas jejuam por 16 horas e se alimentam por 8 horas todos os dias. Outras jejuam por 24 horas uma ou duas vezes por semana.
- *Jejum parcial* — é aquele em que se evita certos tipos de alimentos ou a quantidade de calorias ingeridas é restrita. Por exemplo, algumas religiões proíbem o consumo de carne em determinados dias. Algumas pessoas fazem dietas que imitam o jejum, reduzindo a ingestão calórica em até 40%.
- *Jejum periódico* — é aquele em que se faz um jejum total por alguns dias seguidos, geralmente uma vez por mês ou a cada dois meses. Esse tipo de jejum pode ter efeitos positivos na regeneração celular e na prevenção do câncer.
- *Jejum total* — é aquele em que o indivíduo se abstém completamente de alimentos e bebidas, exceto água. Esse tipo de jejum é o mais extremo e deve ser feito com cautela e orientação médica. Ele pode causar desidratação, hipoglicemia, perda de massa muscular e outros problemas de saúde.

Antes de iniciar qualquer tipo de jejum, é importante consultar um médico ou nutricionista para avaliar sua condição de saúde e seus objetivos. O jejum não é recomendado para crianças, gestantes, lactantes, idosos, diabéticos, hipertensos ou pessoas com doenças crônicas.

Vantagens do jejum

O jejum é uma forma de desencadear a cetogênese. Em condições normais, o fígado usa glicose como sua principal fonte de energia. A glicose é fornecida pela dieta ou pela quebra do glicogênio armazenado no fígado. Quando o jejum começa, a disponibilidade de glicose diminui. O fígado então começa a usar gordura como sua principal fonte de energia. A gordura é quebrada em ácidos graxos livres, que são então transportados para o fígado. No fígado, os ácidos graxos livres são convertidos em corpos cetônicos, que são moléculas que podem ser usadas como fonte de energia pelo cérebro e outros tecidos. A cetogênese, que leva a formação de corpos cetônicos, é desencadeada pelo intercâmbio da matriz energética no fígado (como se fosse um automóvel híbrido), passando de glicose para gordura.

A cetose nutricional traz benefícios como:

- Controle de peso.
- Melhora da sensibilidade à insulina reduzindo os níveis de insulina.
- Melhora os indicadores metabólicos e inflamatórios, incluindo lipídios, HbA1c, PCR e HDL.
- Reduz os sinais orexígenos (aumento do apetite), por exemplo, via grelina.
- Aumenta a produção de adiponectina, uma proteína com atividade antiaterosclerótica, anti-inflamatória e antidiabética que ajuda a regular a composição corporal.
- Quebra o excesso de reservas de gordura.
- Diminui a resistência à insulina, diferentemente das dietas tradicionais, que diminuem alimentos que liberam insulina, mas não a resistência à insulina.

- Preserva a massa muscular magra (a massa muscular não se deteriora até que os estoques de gordura se esgotem).
- Para o cérebro:
  - Aumenta da produção de fatores neurotróficos (crescimento, manutenção ou a sobrevivência das células nervosas).
  - Melhora da cognição.
  - Estimula a neuroplasticidade.
  - Controla a produção de beta-amiloide.
- Para o sistema circulatório:
  - Redução da pressão arterial.
  - Diminuição da frequência cardíaca em repouso.
  - Melhora do tônus parassimpático.
  - Melhora da resistência ao estresse.
- Para a musculatura:
  - Melhora da sensibilidade à insulina.
  - Aumento da resistência.
  - Diminuição da inflamação.
- Câncer e jejum
  Altas concentrações de corpos cetônicos dificultam o crescimento de células tumorais e pré-cancerosas, reduzindo os danos ao DNA e à carcinogênese. Está provado que o jejum de apenas 48 horas protege as células normais do tratamento quimioterápico, mas não as células malignas.

Conclusão

Ao chegarmos ao final desta jornada através das páginas deste livro *sui generis*, é evidente que a busca por uma vida abundante é uma jornada que transcende o âmbito espiritual e envolve também a esfera física. A Palavra de Deus, entrelaçada com as descobertas científicas modernas, oferece-nos um caminho claro para uma existência plena e saudável.

Ao compartilhar minha própria jornada de transformação, tornou-se claro que a vida abundante prometida por Jesus não é apenas uma utopia espiritual, mas uma realidade tangível que pode ser experimentada em nosso dia a dia. Encontrar equilíbrio que envolva as esferas do espírito, da alma e do corpo é não apenas um chamado bíblico, mas uma necessidade vital para enfrentarmos os desafios da vida com plenitude.

Ao longo deste livro, exploramos os princípios da Escola Metanoia Saúde, descobrindo que a saúde não é apenas a ausência de doença, mas, sim, a prosperidade de todo o nosso ser, isto é, em sua integralidade. A estreita associação entre os ensinamentos bíblicos e as práticas científicas nos conduz a uma compreensão mais profunda de como podemos cuidar do templo do Espírito Santo de maneira holística.

A jornada não se trata apenas de dietas passageiras, mas de uma transformação de estilo de vida. A mudança começa no entendimento de que nosso corpo é um presente da parte de Deus, e cabe a nós zelar por ele com cuidado e sabedoria. A alimentação, a prevenção e a busca por um equilíbrio metabólico são passos cruciais nesse processo que queremos, de fato, seguir rumo aos 120 anos.

Assim como eu e minha esposa, ao vivermos esses princípios, fomos inspirados a compartilhar essa mensagem com outros por meio do Seminário Metanoia Saúde e da prática médica. Afinal, a bênção que recebemos não é apenas para nosso benefício, mas para que possamos ser agentes de mudança na vida daqueles ao nosso redor.

Este livro é mais do que um ponto de partida; é um convite para uma jornada contínua em direção a uma vida abundante. Que cada leitor se sinta capacitado a fazer escolhas saudáveis, transformar sua cozinha em uma farmácia de vida e abraçar a plenitude que Deus deseja para cada um de nós.

Em Filipenses 3:14, somos chamados a prosseguir "para o alvo, a fim de ganhar o prêmio do chamado celestial de Deus em Cristo Jesus". Que essa jornada seja permeada pela consciência de que cuidar do corpo é uma expressão tangível de nosso serviço a Deus. Cuidar do nosso corpo é parte fundamental de nossa adoração àquele que nos deu esta morada. Que a busca pela saúde seja uma resposta ao chamado divino de sermos um canal de bênção para aqueles ao nosso redor.

Que este livro seja um guia prático e inspirador, lembrando-nos de que, em todos os aspectos de nossa existência, Deus tem o melhor para nós dentro da vida abundante que Ele nos promete em Cristo. Que a paz e a plenitude que excedem todo entendimento continuem a acompanhá-lo enquanto você prossegue nesta jornada em direção à vida abundante em espírito, alma e corpo.

Shalom! Que a paz esteja com você.

Apêndice

O JEJUM: ASPECTOS ESPIRITUAIS

LUCIANO SUBIRÁ

O Dr. Aldrin Marshall abordou, em pelo menos dois capítulos, a questão do jejum. Ele tem, na vida do cristão, propósitos espirituais. Por outro lado, é cientificamente comprovado que também tem efeito saudável sobre nossos corpos. Mas o assunto é tão abrangente que as pessoas constantemente me perguntam: "O que é, exatamente, o jejum?". A pergunta reflete um sentimento que traduzo da seguinte forma: "Acho que sei o que é, mas tenho tantas dúvidas na aplicação prática que acabo achando que não sei o que é".

Espero ajudá-lo a construir uma visão correta — e completa — do jejum. Começo citando uma definição extraída de meu livro, *A cultura de jejum* (aliás, a maior parte deste apêndice foi extraída e adaptada de lá):

O jejum bíblico é, em essência, uma abstinência intencional de alimentos visando *propósitos espirituais*. Pode incluir, em períodos menores, a privação da ingestão de água, embora seja feito normalmente sem tal contenção.

Também possui variações que admitem a abstinência parcial, excluindo apenas determinados grupos de alimentos, porém permitindo outros.

A palavra empregada nos manuscritos gregos e traduzida como "jejum" é *nesteia* (νηστεια). Derivada de *ne*, elemento de negação, e *esthio*, "comer", significa abstinência de alimentos. Podem ser adotadas outras formas de abstinência além da alimentar, conquanto, fundamentalmente, jejum consiste em privação de comida. [...]

O jejum não é — como alguns pensam — uma espécie de "moeda de troca" ou ferramenta de barganha. Também não é um sacrifício que, por si só, gera recompensas. Isso tudo seria uma contradição à graça, revelada em Cristo, que se acessa mediante a fé (Romanos 5:2). "Não jejuamos para ganhar alguma coisa; jejuamos para nos conectar com nosso Deus sobrenatural. Estamos limpando o canal que nos conecta com a unção divina" — diz Chavda.

Embora Jesus tenha garantido que haveria recompensa — "E o seu Pai, que vê em secreto, lhe dará a recompensa" (Mateus 6:18) —, o jejum não é, em si mesmo, o fator responsável pelo resultado — apesar de ser, indubitavelmente, um excelente auxílio para o exercício da fé que, sim, conduz-nos a resultados.

O jejum é, antes de mais nada, uma ferramenta utilizada na busca a Deus, que contribui ao processo de rendição. Ele potencializa a mortificação da carne e seus apetites, de modo a levar-nos a aspirar, desimpedidamente, pelas coisas celestes. Outras bênçãos, decorrentes de seu uso adequado, são mera consequência; elas constituem efeito colateral, e não propósito.[1]

Para nós, cristãos, o propósito dessa abstinência alimentar autoimposta é, sobretudo, de ordem espiritual. Isso significa que o jejum possui *propósitos espirituais*, que nos levam a combiná-lo com *oração* e outras devoções como a *adoração*, além da *leitura*, *meditação* e *estudo* das Escrituras Sagradas. Não quer dizer, no entanto, que a lista de benefícios do jejum não inclua o *aspecto físico* e que não possa ser praticado visando, também,

....
[1] SUBIRÁ, Luciano. *A cultura do jejum*. São Paulo: Hagnos, 2022, p. 71, 73 e 74.

o impacto saudável que ele tem no cuidado do corpo. Ainda que este aspecto seja visto como efeito colateral, em vez de propósito, deve ser levado em consideração.

Tenho jejuado desde os meus 15 anos de idade. Aos 18 comecei a praticar, de forma regular, jejuns mensais que variavam de 3 a 7 dias. Ao longo dos anos fui crescendo na prática de jejuns prolongados; a duração foi subindo de uma para duas semanas, depois para três, até chegar aos jejuns de 40 dias (o que não estou insinuando, em hipótese alguma, ser para todos). O Dr. Aldrin Marshall tem me acompanhado desde o primeiro de vários jejuns prolongados que fiz nos últimos anos. Ele me ajudou muito na compreensão do aspecto fisiológico e o impacto saudável do jejum enquanto, por outro lado, eu dividia com ele minhas descobertas acerca do que as Sagradas Escrituras dizem sobre o assunto. Essa tem sido uma bela parceria e brinco que me ofereci para ser "a cobaia" dos estudos científicos dele. No meu mais recente jejum prolongado, ele me pediu para fazer 71 diferentes tipos de exames de sangue, fora outros tipos de exames. A razão da comparação dos exames de antes e depois é documentar os efeitos do jejum no corpo. E é impressionante como nos últimos 7 anos os resultados dos meus exames têm apresentado uma melhora fantástica dos indicadores de saúde.

O jejum é, seguramente, parte das disciplinas espirituais esperadas dos cristãos. Embora alguns tentem se esquivar dessa prática usando desculpas teologicamente mal formuladas que alegam que esse tipo de abstinência não seja para os nossos dias; outros, por sua vez, insinuam que embora *possamos* jejuar isso não significa que ninguém "tenha" que fazê-lo.

A Bíblia ordena que jejuemos?

O que a Bíblia diz acerca do jejum? Meu propósito aqui não é esgotar o tema — ato que me propus em meu livro dedicado ao assunto. Mas precisamos de algumas considerações básicas.

As Escrituras ordenam que jejuemos?

Apesar de evidentemente não haver um *imperativo*, uma ordenança explícita sobre jejuar, o Novo Testamento está repleto de *menções* ao jejum e *indicativos* claros de que ele seria parte do nosso estilo de vida e, de igual modo, *instrui-nos* sobre o modo correto de fazê-lo.

Ao considerar o ensino de Jesus, não há como negar que o Mestre tinha a *expectativa* de que jejuássemos:

— **Quando** vocês jejuarem, não fiquem com uma aparência triste, como os hipócritas; porque desfiguram o rosto a fim de parecer aos outros que estão jejuando. Em verdade lhes digo que eles já receberam a sua recompensa. Mas você, quando jejuar, unja a cabeça e lave o rosto, a fim de não parecer aos outros que você está jejuando, e sim ao seu Pai, em secreto. E o seu Pai, que vê em secreto, lhe dará a recompensa (Mateus 6:16-18).

Embora, aparentemente, Jesus não estivesse ordenando jejuar, não no sentido de um imperativo, suas palavras revelam que, no mínimo, Ele *esperava* de nós tal prática. Cristo não disse *"se jejuarem"*, como se fosse algo opcional, mas colocou ênfase na instrução do jejum para *"quando"* o fizéssemos. Ou seja, a abordagem nunca foi sobre "se" seus discípulos jejuariam; era sobre como se conduzir "quando" o fizessem. E nosso Senhor, além de instruir sobre a motivação correta ao jejuar, ainda destacou que tal prática produz resultados.

Como deduzir outra coisa diferente de que nosso Senhor manifestou clara *expectativa* de que seus seguidores jejuassem?

Houve, é válido observar, um momento em que algumas pessoas questionaram a Cristo pelo fato de seus discípulos não jejuarem. Naquele tempo, era um costume dos fariseus jejuar dois dias por semana (Lucas 18:12), às segundas e quintas-feiras[2]. A resposta oferecida pelo Mestre é muito esclarecedora:

....
[2] CHAMPLIN, Russel Norman. *Enciclopédia de Bíblia, Teologia e Filosofia*, vol. 3. São Paulo: Hagnos, 2015, p. 442.

APÊNDICE – O JEJUM: ASPECTOS ESPIRITUAIS 185

Então eles disseram a Jesus:

— Os discípulos de João **frequentemente jejuam** e fazem orações, e os discípulos dos fariseus fazem o mesmo; mas os seus discípulos comem e bebem.

Jesus, porém, lhes disse:

— Será que vocês podem fazer com que os convidados para o casamento jejuem enquanto o noivo está com eles? No entanto, virão dias em que o noivo lhes será tirado, e então, *naqueles dias, eles vão jejuar* (Lucas 5.33-35).

Observe a afirmação de Jesus. Ele não disse ser contra a prática do jejum por seus discípulos, apenas enfatizou que se tratava de uma *questão de tempo* — depois que fosse *tirado* do convívio direto com os discípulos, voltando aos Céus, então eles haveriam de jejuar. Ou seja, quando Jesus falou sobre o jejum, não se restringiu somente àquele tempo, mas apontou para um período específico: quando estariam sem o noivo, a partir de sua morte e ressureição. A declaração do Mestre, portanto, derruba por terra o argumento de quem alega que o jejum foi uma determinação exclusiva e restrita aos judeus da Antiga Aliança. Como negar, diante de tamanha clarificação bíblica, que o jejum seja algo que nosso Senhor espera de todos os seus remidos? Como negar que tal orientação tenha sido dada também à Igreja? Ou que a própria Igreja o tenha, com efeito, praticado desde o início da era cristã?

Observe dois registros bíblicos sobre a igreja em Antioquia: "Enquanto eles estavam adorando o Senhor e jejuando, o Espírito Santo disse: — Separem-me, agora, Barnabé e Saulo para a obra a que os tenho chamado. Então, jejuando e orando, e impondo as mãos sobre eles, os despediram" (Atos 13:2,3). E ainda: "E, promovendo-lhes, em cada igreja, a eleição de presbíteros, depois de *orar com jejuns*, os encomendaram ao Senhor, em quem haviam crido" (Atos 14:23). Assim como em Antioquia, uma igreja composta majoritariamente de gentios, encontramos, novamente, a prática da oração com jejuns em outras igrejas estabelecidas entre os gentios. Isso aponta a cultura do jejum se estabelecendo além do ambiente dos judeus e não limitada à Antiga Aliança.

Se alguém não quiser viver uma vida marcada pelo hábito de jejuar, é sua *escolha* — assim como também lhe pertencerão as *consequências* da negligência dessa disciplina, não importando as razões pelas quais tal escolha tenha sido feita. Entretanto, ninguém possui o direito de *contrariar* as Escrituras, afirmando que o jejum não é importante ou mesmo necessário.

O que a Palavra de Deus não define é a duração, o tipo e a periodicidade com que se deve jejuar. Isso significa que cada um decide como, quando (e até quando) e de quanto em quanto tempo fará aquilo que *se deve fazer*. Há liberdade sobre a *maneira* de praticar o jejum; ele não deve, no entanto, ser tratado como opcional.

É saudável ao corpo?

Enquanto alguns são absolutamente contrários ao jejum, na discussão de ser ou não uma prática saudável, outros a defendem amplamente. Certa ocasião, o Dr. Aldrin Marshall que, como testemunhei no prefácio deste livro, vem me acompanhando de perto em vários jejuns prolongados desde 2018, confidenciou-me: "A verdade é que, na medicina, há muita discussão teórica e pouco laboratório prático; não temos muitos estudos de caso, porque o jejum — especialmente o prolongado — tornou-se uma prática pouco comum". Nos jejuns em que ele me ofereceu acompanhamento médico (o que tenho feito em todos os meus jejuns prolongados), ele pediu uma bateria de exames laboratoriais antes e depois do jejum. Recentemente, adicionamos algumas no meio do período. O propósito, como afirmei anteriormente, além de monitorar meu estado de saúde, era entender um pouco melhor os efeitos do jejum no corpo, quanto à perspectiva fisiológica. Insisto em afirmar: sempre houve melhoras significativas no meu estado de saúde, nunca o contrário.

Decidi, nos últimos anos, estudar tudo o que eu pudesse sobre a fisiologia do jejum e também a me dispor a fazer um laboratório prático de

APÊNDICE – O JEJUM: ASPECTOS ESPIRITUAIS 187

estudos e experimentos. E afirmo: estou mais do que convencido, munido de inúmeros estudos e pesquisas científicas, sem falar da experiência prática (documentada por meio de diversos exames médicos), que o jejum é uma ferramenta poderosa para aqueles que querem cuidar do corpo.

O jejum é uma prática antiga, milenar. Vem sendo testada há muito tempo. Os que a atacam normalmente não compõem o grupo dos que costumam jejuar nem parecem apresentar estudos de caso consistentes. Comumente oferecem especulações teóricas e, não raras vezes, preconceituosas. O Dr. Jason Fung, nefrologista, reconhecido como um dos maiores especialistas mundiais na prática do jejum para perda de peso e reversão da diabetes tipo 2, autor do livro *O código da obesidade: Decifrando os segredos da prevenção e cura da obesidade*, é um defensor do jejum e reconhece-o como um antigo remédio:

> Em vez de buscar alguma dieta milagrosa, exótica e inédita para nos ajudar a quebrar a resistência à insulina, devemos nos concentrar em uma tradição antiga de cura comprovada. O jejum é um dos remédios mais antigos da história humana e tem sido parte da prática de quase todas as culturas e religiões do planeta. [...]

Como uma tradição de cura, o jejum tem uma longa história. Hipócrates de Kos (aprox. 460-370 a.C.) é considerado por muitos o pai da medicina moderna. Entre os tratamentos que ele prescreveu e preferiu, encontra-se o jejum e o consumo de vinagre de maçã. Hipócrates escreveu: "Comer quando você está doente é alimentar sua doença". O escritor grego antigo e historiador Plutarco (aprox. 46-120 d.C.) também refletiu esses sentimentos. Ele escreveu: "Em vez de usar remédios, é melhor jejuar hoje". Platão e seu estudante Aristóteles também foram apoiadores convictos do jejum.

Os gregos antigos acreditavam que o tratamento médico poderia ser descoberto por meio da observação da natureza. Os seres humanos, assim como os animais, não comem quando adoecem. Pense na última vez que você teve um resfriado. Provavelmente, a última coisa que você gostaria de fazer era comer. Jejuar parece uma resposta universal a diversas formas de doenças e está conectada à herança humana, tão antiga quanto a própria humanidade. O jejum é, de certa forma, um instinto. [...]

Outros gigantes intelectuais também foram grandes proponentes do jejum. Paracelso (1493-1541), o fundador da toxicologia e um dos três pais da medicina oriental moderna (junto com Hipócrates e Galeno), escreveu: "O jejum é o maior dos remédios; é o médico interior". Benjamin Franklin (1706-1790), um dos pais fundadores dos Estados Unidos da América e reconhecido por seu grande conhecimento, certa vez escreveu sobre o jejum: "O melhor de todos os remédios é o repouso e o jejum".[3]

Às pessoas que justificam não jejuarem alegando não se tratar de uma prática saudável, devo dizer que estão ignorando pesquisas e apontamentos médicos robustos. Além disso, creio que muitas delas desconhecem, de forma prática, os impactos do jejum em seu próprio corpo, especialmente o efeito desintoxicador. Asseguro que é impressionante como o intestino não apenas é limpo, como também se regula depois do jejum; a limpeza na pele é perceptível com poucos dias; ânimo, vigor e energia são todos positivamente afetados. Valnice Milhomens comenta que "morre mais gente por falta de jejum do que de comida. Se houvesse mais jejum, haveria menos doenças".[4]

O maior questionamento, portanto, não deveria ser quão saudável ou não é a prática do jejum, e sim se devemos — biblicamente falando — jejuar. Hipoteticamente, se os cientistas comprovassem que orar não é saudável, eu ainda seguiria praticando a vida de oração. Por quê? Porque tenho um direcionamento bíblico claro acerca da oração e não faria nenhuma escolha contrária às Escrituras, especialmente em se tratando de

---

[3] FUNG, Jason. *O código da obesidade*: Decifrando os segredos da prevenção e cura da obesidade. São Paulo: nVersos Editora, 2019, p. 219 e 220.

[4] COELHO, Valnice Milhomens. *O jejum e a redenção do Brasil*. São Paulo: Palavra da Fé Produções, 5ª ed., 2020, p. 229.

algo que fosse evitado meramente por conveniência. Comecei a jejuar por causa daquilo que a Palavra de Deus diz, e não porque, cientificamente falando, seja aconselhável jejuar.

Não obstante, devemos concluir, com o uso de uma lógica simples, que a mesma Bíblia que nos orienta a não destruir o corpo — o templo do Espírito Santo (1Coríntios 3:16,17) — *não nos orientaria a uma prática não saudável*. Desse modo, afirmo: o jejum, feito de modo correto, é saudável não só para nossa vida espiritual como também para o nosso corpo. Questionar esse fato é questionar as próprias Escrituras.

E, além da questão da nossa fé, ainda temos a ciência ao nosso lado; e cito o Dr. Fung: "Faz mal à saúde? A resposta é não. Estudos científicos concluem que o jejum traz benefícios significativos à saúde. O metabolismo aumenta, a energia aumenta e a glicemia diminui".[5]

O próprio Dr. Aldrin Marshall escreveu, em um apêndice médico-científico (publicado em meu livro *A cultura do jejum*):

> O aspecto espiritual do jejum não pode ser separado do médico-científico e, para isto, faz-se necessário entender quais mecanismos bioquímicos estão por trás do ato de jejuar e quais os benefícios advindos desta prática milenar, que transcende culturas e religiões.
>
> No mundo científico, o jejum ganhou ares de polêmica quando a Revista Science, em 2009, publicou um artigo[1] sobre macacos *Rhesus* da mesma idade, comparando os que viveram em jejum com outros que receberam alimentação normal. [...]
>
> Em 2016, o cientista japonês Yoshinori Oshumi recebeu o Prêmio Nobel de Medicina por seus estudos sobre autofagia. O termo *autofagia* se origina das palavras gregas *auto*, que significa "eu", e *phagein*, que significa "comer". Assim, autofagia significa "autocomer". Essencialmente, é o mecanismo do corpo que se ocupa de livrar-se de todas as máquinas celulares antigas,

·······
[5] FUNG, Jason. *O código da obesidade*, p. 230.

defeituosas (organelas, proteínas e membranas celulares), quando não há mais energia suficiente para sustentá-las. É um processo regulamentado e ordenado para degradar e reciclar componentes celulares. A autofagia foi descrita pela primeira vez em 1962, quando os pesquisadores notaram um aumento no número de lisossomos (a parte da célula que destrói o material antigo) em células hepáticas de ratos após a infusão de glucagon. O cientista, também ganhador do Prêmio Nobel, Christian de Duve, foi quem cunhou o termo *autofagia*[2]. Sobre o processo, em suma, partes subcelulares danificadas e proteínas não usadas tornam-se marcadas para destruição e, em seguida, são enviadas aos lisossomos para que terminem o trabalho de destruí-las.

Diante do conhecimento adquirido sobre processos celulares fundamentais à homeostase (equilíbrio) das células, vários artigos começaram a ser publicados sobre a possível relação entre a prática do jejum e a otimização do processo de autofagia e seus efeitos sobre a longevidade saudável e a prevenção de doenças.

No contexto médico, podemos classificar o jejum em três categorias:

1. **Restrição calórica**: uma pessoa que precisa de 2.500 calorias diárias e consome 1.500 calorias está no que pode ser chamado um processo de jejum.

2. **Jejum fisiológico**: é aquele em que se passa pelo menos 12 horas sem consumir nada que tenha calorias, podendo ingerir água, café, chás ou chimarrão.

3. **Jejum metabólico**: é o jejum no qual, neste período mínimo de 12 horas, não se promove o aumento da insulina, hormônio relacionado ao metabolismo da glicose. Pode-se até comer, mas somente alimentos que não ativam a insulina; ela não é ativada, por exemplo, quando se consome gorduras. Uma das estratégias utilizadas é o café "bulletproof" (café com óleo de coco e manteiga)[6], no qual o jejum

....
[6] Saiba mais sobre o café metabólico (receita e benefícios) em: https://youtu.be/ ¹w47vONqX74.

APÊNDICE — O JEJUM: ASPECTOS ESPIRITUAIS

fisiológico é quebrado, mas não o metabólico. Esse controle é importante, porque a insulina elevada cria um terreno para inflamação.

É importante entendermos o que acontece dentro da célula e seus processos bioquímicos.[7]

As descobertas das pesquisas apontam cada vez mais na mesma direção. Por isso, entendo ser importante compreender o que o jejum faz em nossos corpos — além dos seus evidentes resultados espirituais.

Os benefícios do jejum

Joseph Mercola, em sua obra *Combustível para a saúde* (livro que o Aldrin me orientou a ler), relaciona os confirmados efeitos positivos do jejum em nosso corpo e saúde:

- Estabilização da glicemia.
- Redução dos níveis de insulina e melhora à resistência à insulina.
- Descanso para o intestino e sistema imunológico.
- Produção de cetonas.
- Aumento da taxa metabólica.
- Limpeza das células danificadas.
- Diminuição da fome.
- Perda do excesso de gordura corporal.
- Redução dos níveis de hormônios que provocam o câncer.
- Desaceleração do envelhecimento.
- Estimula a queima de gordura.
- Proteção do funcionamento cerebral.[8]

· · · · · · · ·

[7] SUBIRÁ, Luciano. *A cultura do jejum*, p. 248 a 250.

[8] MERCOLA, Joseph. *Combustível para a saúde: A revolucionária dieta para prevenir doenças e auxiliar no combate ao câncer, no aumento da capacidade cerebral e energia vital e na manutenção do peso.* São Paulo: nVersos, 2017, p. 216 a 219.

E o Dr. Mercola ainda acrescenta: "Outro benefício desse jejum é que você conseguirá passar horas sem uma queda de energia, porque a gordura fornece uma fonte de combustível contínua, ao contrário da glicose, que provoca picos de glicose/insulina, pontadas de fome frequentes e quedas de energia".[9]

Os benefícios, entretanto, não se limitam apenas ao que pode ser mensurado na perspectiva fisiológica. Quais são eles?

Ansiedade

Não podemos nos entregar à ansiedade. A prática recorrente do jejum — somada a outras disciplinas espirituais — costuma produzir um despertamento da fé e confiança em Deus, sem contar o efeito colateral de uma estabilidade emocional impressionante.

O valor das coisas materiais, bem como a preocupação com elas (uma das causas da ansiedade), costuma ser consideravelmente afetado na vida dos que jejuam. Aliás, minha experiência com os jejuns prolongados aponta para um lugar de estabilidade emocional além da capacidade de explicação. Depois de um certo período em jejum algo costuma acontecer: não há alterações emocionais significativas. Não há grande euforia, mas, por outro lado, também não há abatimento.

Domínio próprio

O domínio próprio é uma chave para a vida cristã. É essencial ao processo de santificação. E o jejum é um exercício que fortalece o autocontrole. Martinho Lutero, o grande reformador, afirmou: "A respeito do jejum eu digo o seguinte: é correto jejuar com frequência com a finalidade de subjugar e controlar o corpo".[10]

....
[9] Idem, p. 224.
[10] PLASS, Ewald M. *What Luter Says*, vol.1. Saint Louis: Concordia Publishing House, 1959, p. 506.

APÊNDICE – O JEJUM: ASPECTOS ESPIRITUAIS 193

É preciso ressaltar que a disciplina na vida do cristão, bem como a mortificação da carne, não se dá *apenas* enquanto jejuamos — embora o jejum seja de grande auxílio, ele possui começo e fim. O domínio próprio e a mortificação intencional de nossa natureza carnal devem continuar nos intervalos entre os jejuns que realizamos. Por isso devemos distinguir entre o jejum eventual e a disciplina regular na vida cristã. Insisto, porém, em afirmar: não há como negar nem deixar de enfatizar que a prática regular do jejum é um exercício que *nos ajuda a intensificar tais virtudes*, tanto a disciplina quanto o domínio próprio. Ou seja, a prática do jejum é um grande exercício de autocontrole.

Parte dos tropeços para se ter uma vida saudável reside na gula e falta de controle quanto à alimentação, seja a quantidade de alimento, a periodicidade com que se come ou a qualidade daquilo que se consome. A prática do jejum nos ajuda a "retomar as rédeas" do autocontrole.

Existem contraindicações?

Há contraindicações ao jejum? O Dr. Joseph Mercola, estudioso e entusiasta do jejum em seus diferentes formatos — incluindo o *jejum intermitente* (que inclui, mais comumente, intervalos diários de 12 a 18 horas sem comer) —, também apresenta algumas *contraindicações* do jejum que não podem ser ignoradas. Elas servem tanto para a prática do intermitente como também de jejuns maiores:

> Embora eu creia que o jejum intermitente [...] seja uma forma poderosa de melhorar a sua função fisiológica e até o seu nível mitocondrial, ele não serve para todos. Indivíduos que tomam medicação, especialmente os diabéticos, precisam de supervisão médica, caso contrário há um risco de hipoglicemia.

> Caso você tenha problemas nas adrenais, doença renal crônica, vive com estresse crônico (fadiga adrenal) ou tiver cortisol desregulado, deverá resolver

essas questões antes de implementar o jejum intermitente. Além disso, não faça o jejum caso tenha uma doença chamada porfiria.

Caso seu objetivo seja desenvolver músculos ou praticar esportes competitivos, como corridas de curta distância, que demandam glicose para as fibras musculares de contração rápida, o jejum intermitente pode não ser a melhor estratégia.

Mulheres grávidas e no período de amamentação não devem praticar o jejum intermitente, pois o bebê precisa de uma maior variedade de nutrientes antes e após o nascimento, e não há pesquisas corroborando a segurança do jejum durante esse importante período.

Crianças abaixo de 18 meses também não devem fazer o jejum por períodos longos. Pessoas de qualquer idade que estiverem preocupadas com a subnutrição ou estiverem abaixo do peso (com um índice de massa corporal, ou IMC, abaixo de 18,5), ou tiverem um distúrbio alimentar como anorexia nervosa, devem evitar o jejum.

Quando você implementar o jejum intermitente, observe quaisquer sinais de hipoglicemia, ou queda na glicemia, que incluem:

- Tontura.
- Tremedeira.
- Confusão.
- Desmaios.
- Suor excessivo.
- Visão embaçada.
- Fala arrastada.
- Sensações de arritmia.
- Sensações de pontadas e formigamento na ponta dos dedos.

Caso você suspeite de uma queda no açúcar, como algo que não tenha impacto nos seus níveis de glicemia, como óleo de coco no café ou no chá.[11]

---

[11] MERCOLA, Joseph. *Combustível para a saúde*, p. 226-227.

Como jejuar?

Há liberdade para que cada pessoa pratique o jejum como bem entender. A instrução bíblica se limita ao fato de que devemos praticá-lo; ou seja, ela é focada em "quê", e não "como", "quando" ou "de que forma". Nessas outras questões podemos fazer o que quisermos ou, em situações específicas, seguir a direção pessoal do Espírito Santo.

Muitos me perguntam sobre as regras do jejum. Paulo afirmou: "O atleta não é coroado se não competir segundo as regras" (2Timóteo 2:5); diferentemente do esporte, porém, o jejum *não vem com um manual de regras*. Gosto de brincar que a regra é que *não há regras!* O que temos, nas Escrituras Sagradas, são *princípios* e *orientações*, que nos ajudam mais em relação ao "porquê" fazemos (motivações e propósitos) do que ao "como" fazemos.

Alguém pode jejuar um dia por semana, por mês ou com qualquer outra periodicidade. Pode escolher o tipo de jejum e qual será sua duração. Não há, portanto, regras predefinidas. Cada um gerencia como melhor entender ou conforme a direção que receber do Espírito Santo.

Tipos de jejum

Os diferentes *tipos* de jejum que encontramos na Bíblia são:

1. **Parcial**. O jejum parcial, por sua vez, é a abstinência de determinados *tipos de alimentos*, porém não de todos. Admite a ingestão de líquidos, e não só água, além de alimentos que o jejuador não tenha se proposto a privar-se. O exemplo mais claro desse tipo de jejum foi feito por Daniel, o que tem levado muitos a usarem as expressões "jejum de Daniel" e "jejum segundo Daniel" como referência ao jejum parcial. "Naqueles dias, eu, Daniel, fiquei de luto *por três semanas*. Não comi *nada que fosse saboroso, não provei carne nem vinho*, e não me ungi com óleo algum, até que passaram

as três semanas" (Daniel 10:2,3). Obviamente, Daniel não estava fazendo uma dieta — sim, às vezes percebo alguns banalizarem dessa forma o jejum do profeta. Jejuns são feitos com *propósitos espirituais*, inclusive os parciais. Um anjo de Deus falou com Daniel ao final daquele jejum e disse que o profeta "dispôs o coração a compreender e a se humilhar na presença do seu Deus" (Daniel 10:12), uma clara aprovação do ato. Que Daniel tinha o hábito de jejuar, fica atestado no capítulo anterior: "Voltei o rosto ao Senhor Deus, para o buscar com oração e súplicas, com jejum, vestido de pano de saco e sentado na cinza" (Daniel 9:3). Fato é que Daniel fazia jejuns e, ao que tudo indica, não apenas na modalidade parcial, apesar de ser um ícone dessa forma específica de jejuar. João Batista, por exemplo, alimentava-se de gafanhotos e mel silvestre (Mateus 3:1-6).

2. **Normal**. A Palavra de Deus, ao falar do jejum de Jesus, revela que *"nada comeu* naqueles dias, ao fim dos quais *teve fome"* (Lucas 4:2). Observe as expressões "nada comeu" e "teve fome". Diferentemente dos relatos bíblicos de jejum absoluto, não há menção de que Cristo "não bebeu", tampouco de que Ele "teve sede".

3. **Total (ou absoluto)**. O jejum total — ou absoluto, como alguns preferem denominar — caracteriza-se pela *abstinência completa*. Ou seja, não se trata apenas da abstinência de alimentos, mas também de *água*. É um dos mais *austeros* tipos de jejum. No Antigo Testamento, houve um jejum total, de três dias, requisitado por Ester (Ester 4:16). Nos mesmos termos, vemos o decreto do rei de Nínive (Jonas 3:7). Já no Novo Testamento, constatamos que o jejum de Paulo, em sua conversão, também foi absoluto: "Esteve três dias sem ver, durante os quais nada comeu, nem bebeu" (Atos 9:9). Ainda temos o exemplo de um profeta, enviado por Deus a Betel: "Assim me ordenou o Senhor Deus pela sua palavra, dizendo: Não coma *nem beba nada* naquele lugar" (1Reis 13:9). Não costumamos encontrar, nem nos relatos bíblicos nem

APÊNDICE – O JEJUM: ASPECTOS ESPIRITUAIS 197

entre os que praticam jejum total, períodos maiores do que três dias. O corpo humano, composto em grande parte de água, necessita dela para a sobrevivência, por isso uma desidratação intensa e prolongada pode gerar sérios danos físicos. Há, no entanto, exceções tanto bíblicas quanto históricas que enquadro como *jejum sobrenatural*, entre elas o episódio de Moisés jejuando quarenta dias sem comer e nem beber; não se pode ignorar que ele o fez imerso na nuvem da glória de Deus e que esse jejum tem, decididamente, o rótulo de sobrenatural.

A maneira de distinguir, na Bíblia, se o jejum é total, sem água, ou normal, com água, é observando a própria descrição. Quando, de fato, não houve ingestão de água, os escritos *mencionam* tal nível de abstinência; veja o exemplo de Esdras: "Esdras se retirou de onde estava, diante da Casa de Deus, e foi para a câmara de Joanã, filho de Eliasibe. Ao entrar ali, não comeu pão *nem bebeu água*, porque pranteava por causa da infidelidade dos que tinham voltado do exílio" (Esdras 10:6). Contudo, quando a Bíblia não detalha essa especificidade, é porque houve ingestão de água. Em resumo, o jejum normal é a abstinência de todo tipo de alimento, contudo sem privação de água, diferenciando-o, assim, do jejum total.

De todos os tipos de jejum, o *parcial* é o que possibilita a maior diversidade. Alguém pode permanecer muitos dias fazendo uso do jejum intermitente, por exemplo, pulando certa quantidade de refeições. Outro pode não diminuir a quantidade de refeições, mas incluir privação de determinados alimentos. É possível passar dias apenas com sucos de frutas e caldos de legumes. Como tenho afirmado com recorrência, cada um determina seu próprio tipo de jejum — ou segue uma direção *personalizada* do Espírito Santo.

Ademais, é possível somar a jejuns regulares também uma *vida jejuada*, a exemplo de Daniel e João Batista — trata-se de uma rotina de abstenção alimentar parcial com benefícios patentes ao corpo e ao espírito.

Duração

Quanto tempo deve durar um jejum? Como já estabelecido, a Bíblia não determina regras para tanto. Cada um é livre para escolher quando, como e quanto jejua. É possível, contudo, encontrar *exemplos* de jejuns com *duração distinta* nas Escrituras. Eles não necessariamente determinam a duração do nosso jejum, mas ampliam nossa perspectiva, principalmente acerca da possibilidade de jejuar por períodos maiores. Os exemplos bíblicos, acerca dos prazos de duração, são:

- **Um período do dia**. Josué se prostrou, com o rosto em terra, diante do Senhor, depois da derrota em Ai, até a tarde (expressão que indicava o fim do dia). Apesar de o texto não explicitar o jejum, o ter ficado com o rosto em terra, sem nenhuma outra atividade, sugere que houve jejum (Josué 7:6). Outro terceiro exemplo é Davi lamentando a morte de Saul e Jônatas: "Então Davi rasgou as suas próprias roupas, e todos os homens que estavam com ele fizeram o mesmo. Prantearam, choraram e jejuaram até a tarde por Saul, por Jônatas, seu filho, pelo povo do Senhor e pela casa de Israel, porque tinham caído à espada" (2Samuel 1:12). Alguns especulam que a expressão "até a tarde" signifique o ciclo do dia completo dos hebreus e não se trate de apenas uma parte do dia, entretanto, tanto no caso de Josué como no Davi, o jejum foi decidido de improviso, *ao longo do dia*, depois da notícia recebida — isso implica um jejum inferior a 24 horas.[12]

· · · · · · · ·

[12] O jejum intermitente é um extraordinário recurso para o cuidado do corpo. Quando me perguntam em qual tipo de jejum ele se encaixa, respondo que a expressão "intermitente" significa "intervalado" ou "interrompido" e tem a mais a ver com o quesito *duração* do que com o *tipo* de jejum. Trata-se de determinar uma janela *diária* de tempo para se alimentar e deixar de comer o restante do dia, a maior parte dele. Um exemplo disso, que gosto de praticar, é comer apenas entre o almoço e o anoitecer e jejuar depois da última refeição daquele dia até a primeira do dia seguinte. Dessa forma, alimento-me apenas durante um período (de 6 horas a 8

APÊNDICE – O JEJUM: ASPECTOS ESPIRITUAIS 199

- **1 dia**. O jejum do Dia da Expiação, como já vimos, acontecia em um dia consagrado ao Senhor e era observado por um dia completo (Levítico 16.29-31).
- **3 dias**. Tanto o jejum de Ester (Ester 4:16) como o de Paulo (Atos 9:9) tiveram essa duração.
- **7 dias**. Entre os exemplos de jejuns com uma semana de duração estão o dos moradores de Jabes-Gileade, por luto, por ocasião da morte de Saul (1Samuel 31:13), e o de Davi, quando intercedia pela criança gerada por Bate-Seba (2Samuel 12:15-18).
- **14 dias**. O jejum involuntário de Paulo e dos que com ele estavam no navio durou duas semanas, em meio a uma grande tormenta (Atos 27:33).
- **21 dias**. O jejum de Daniel, em favor de Jerusalém, durou três semanas inteiras (Daniel 10:3).
- **40 dias**. Exemplos de jejum por quarenta dias, maior prazo encontrado na Bíblia, são o de Moisés (Êxodo 34:28) e o do Senhor Jesus, no deserto (Lucas4:1,2).

Preparação

A abstinência alimentar gera desconforto, isso é fato. Não precisa, contudo, ser algo tão insuportável, ou um processo compulsório de sofrimento que não possa ser amenizado.

A maioria das pessoas reclama de dor de cabeça, irritação, além da falta de energia e disposição, sintomas que são comuns em jejuns menores ou no início dos maiores. Evidentemente, o jejum é, em seu início, para a maioria das pessoas, uma experiência fisicamente desconfortável e destaca a importância de uma preparação. O preparo ideal depende do

. . . .

horas) por dia e permaneço sem comer pelas outras (16 a 18 horas) restantes. Mesmo quando isso não é possível, ainda tento respeitar o intervalo mínimo de 12 horas sem comer.

tipo de jejum. Um *parcial*, por exemplo, requer menos tempo de preparação que o *normal* e o *total*. No jejum *parcial*, o processo de desintoxicação será mais ameno porque a pessoa ainda come, apesar de diminuir a quantidade ou o tipo de alimento. No jejum *normal* e no *total*, no entanto, a interrupção brusca da alimentação — a menos que se trate de alguém com uma alimentação altamente saudável, que não é o caso da maioria que consome produtos industrializados e processados — causará desconforto do primeiro ao terceiro dia (essa é uma média genérica, podendo variar em certos casos).

Para jejuns de até 24 horas, a preparação não parece ser tão necessária quanto para os de três dias ou mais. Ainda assim, no entanto, a decisão de remover, de três a sete dias antes do início do jejum, alimentos com toxinas — carne vermelha, açúcares, refrigerantes, café e determinados tipos de chá com alta quantidade de cafeína — pode aliviar as dores de cabeça. Embora nem todos reajam da mesma forma à abstinência de cafeína, a maioria parece incomodar-se com a interrupção do consumo — não é o meu caso —, por isso a preparação faz diferença.

O consumo de frutas e alimentos com fibras também ajudarão na limpeza do intestino nos dias de preparação. Algo que me tem sido um ótimo auxiliar nesse processo preparatório, há muitos anos, é o uso de carvão vegetal (que você pode adquirir nas farmácias sem necessidade de prescrição, embora seja tanto prudente quanto necessário, como eu fiz, consultar um médico sobre o seu uso).

E, ao iniciar-se o jejum, deve-se ingerir o máximo possível de água; de 2 a 4 litros por dia. Depois dos primeiros dias, parece ficar mais difícil tomar água; beba-a, então, aos poucos, mas ao longo de todo o dia. Exercícios que o levem a transpirar também são de grande auxílio no curso da desintoxicação.

Entender a fisiologia do jejum também é muito útil. Passemos, portanto, a um resumo do aspecto fisiológico do que ocorre quando deixamos de comer.

A fisiologia do jejum

Muitos crentes têm receio do jejum e digo isso por experiência própria. Nas minhas primeiras experiências com o jejum, mesmo os de um dia só, eu imaginava que poderia *morrer* de fome — e não se trata de mera força de expressão!

Com o tempo e a prática, os temores desapareceram. Constatei não apenas que não há ameaças ao corpo (salvo exceções, que indicarei adiante), como, pelo contrário, há benefícios provenientes da desintoxicação promovida pela abstinência alimentar. Confesso, avaliando as coisas pelo entendimento que tenho hoje, que gostaria de ter tido acesso às informações fisiológicas desde o início de minha prática de jejuar.

É necessário remover os medos provenientes da desinformação. Desse modo, quero incentivar à perseverança na prática de jejuar, porque assim os efeitos serão, de fato, provados e comprovados por cada jejuador. Um passo para *desmistificar* o jejum é compreender que não se trata de algo *sobrenatural* — embora possamos obter do Senhor o que denomino de "uma graça para jejuar". Via de regra, o jejum é algo *natural*, ou seja, humanamente possível.

A fase inicial costuma gerar um certo mal-estar. Em caso de jejum prolongado, pode levar cerca de três dias para que os sintomas de desintoxicação desapareçam — tudo dependerá de quão saudável é a alimentação de cada um e se houve ou não um *preparo* para esse tipo de jejum.

Já ouvi desculpas das mais absurdas para não se jejuar, mas uma merece destaque: "É que eu fico com fome", disse alguém. Respondi rindo: "A ideia é justamente essa!". Sim, há um medo da fome, porém mais que isso: as pessoas receiam não apenas a fome em si, mas o que imaginam que ela pode fazer ao corpo. Por isso é fundamental trazer à tona o aspecto fisiológico do jejum para que tal engano seja desfeito e o medo se dissipe.

Para melhor esclarecer o ponto, citarei outra explicação do médico Jason Fung, contida no livro *O código da obesidade*:

A glicose e a gordura são as principais fontes de energia do corpo. Quando a glicose não está disponível, o corpo se ajusta para usar a gordura, sem qualquer prejuízo à saúde. [...] A transição do estado alimentado para o estado de jejum ocorre em várias etapas:

Alimentação: durante as refeições, os níveis de insulina aumentam. Isso permite a absorção de glicose por tecidos como o músculo ou cérebro para uso direto como energia. O excesso de glicose é armazenado como glicogênio no fígado.

A fase pós absorção (6 a 24 horas após o início do jejum): os níveis de insulina começam a cair. A quebra do glicogênio libera glicose para energia. Os depósitos de glicogênio duram aproximadamente 24 horas.

Gliconeogênese (24 horas a 2 dias): o fígado fabrica nova glicose a partir de aminoácidos e glicerol. Em pessoas não diabéticas, os níveis de glicose caem, mas permanecem dentro da faixa normal.

Cetose (um a três dias após o início do jejum): a forma de armazenamento de gordura, os triglicerídeos, é decomposta na espinha dorsal de glicerol e três cadeias de ácidos graxos. O glicerol é usado para gliconeogênese. Ácidos graxos podem ser usados diretamente para produção de energia por muitos tecidos no corpo, mas não pelo cérebro. Corpos cetônicos, capazes de cruzar a barreira hematoencefálica, são produzidos a partir de ácidos graxos para ser usado pelo cérebro. As cetonas podem fornecer até 75% da energia usada pelo cérebro. Os dois principais tipo de cetonas produzidas são o beta hidroxibutirato e o acetoacetato, que podem aumentar em mais de 70 vezes durante o jejum.

Fase de conservação de proteínas (após cinco dias): altos níveis de hormônio do crescimento mantêm a massa muscular e os tecidos magros. A energia para manutenção do metabolismo basal é quase totalmente obtida pelo uso de ácidos graxos livres e cetonas. Os níveis elevados de norepinefrina (adrenalina) evitam a diminuição da taxa metabólica.

O corpo humano é bem-adaptado para lidar com a ausência de comida. O que estamos descrevendo aqui é o processo ao qual o corpo é submetido para passar da queima de glicose (em curto prazo) para a queima de gordura

APÊNDICE – O JEJUM: ASPECTOS ESPIRITUAIS 203

(em longo prazo). A gordura é, simplesmente, a energia de alimentos armazenada no organismo. Em tempos de escassez de comida, o alimento armazenado (gordura) é naturalmente liberado para preencher esse vácuo. O corpo não "queima músculo" para se alimentar até que todos os depósitos de gordura sejam usados.[13]

A verdade é que, em um jejum prolongado, só com água, por exemplo, você não está privado de alimento; o que acontece é uma troca do alimento *externo* por um alimento *interno* — as reservas de gordura do corpo.

Deus não nos orientaria, em sua Palavra, a uma prática que trouxesse danos ao corpo, e devemos crer na veracidade, autoridade e utilidade das Escrituras. De uma vez por todas, o assunto deve ser desmistificado. Ressalto que há exceções a considerar, mas destaco que as exceções não anulam a regra.

Sempre oriento as pessoas a iniciarem a prática do jejum de forma *lenta*, embora também diga que a prática também deve ser *progressiva*. Assim, você descobrirá por si só, na prática, a importância e os efeitos do jejum (em sua vida espiritual e física) e ainda aprenderá quais são as respostas e limites de seu próprio corpo.

* * *

Finalizo encorajando-o a fazer do jejum um estilo de vida. Passei a maior parte dos dois últimos anos em *jejuns intermitentes*. Mas, como exposto, ainda podemos diversificar com o uso de jejuns parciais e também com os de um dia de duração por semana — uma prática excelente para o descanso do sistema gastrointestinal e demais benefícios apresentados. Além disso, para os que já se exercitam na prática de jejuns prolongados, esse tipo também é — ainda que praticado apenas eventualmente (e com acompanhamento médico) — recomendado.

[13] FUNG, Jason. *O código da obesidade*, p. 221.

À LUZ DESTE LIVRO, QUE HÁBITOS VOCÊ PRECISA MUDAR OU ADQUIRIR A FIM DE CHEGAR AOS 120 ANOS?

Sua opinião é importante para nós.
Por gentileza, envie-nos seus comentários pelo e-mail:

editorial@hagnos.com.br

Visite nosso site:

www.hagnos.com.br